BOLSOS
BORDADOS

BOLSOS BORDADOS

20 proyectos con flores bordadas para cada
estación del año, realizados fácilmente
con sus patrones y explicados paso a paso

Susan Cariello

Índice

*A mi padre y a mi madre por su continuo apoyo
en todo cuanto emprendo... muchas gracias.*

Editora: Eva Domingo

Título original: *Bags in Bloom* de Susan Cariello.

© 2010 *by* Breslich & Foss Limited
© 2011 de la versión española
    by Editorial El Drac, S.L.
    Marqués de Urquijo, 34. 28008 Madrid
    Tel.: 91 559 98 32. Fax: 91 541 02 35
    E-mail: info@editorialeldrac.com
    www.editorialeldrac.com

Fotografías: Sussie Bell
Ilustraciones: Kate Simunek
Diseño de cubierta: José María Alcoceba
Traducción: Ana María Aznar
Revisión técnica: Esperanza González

ISBN: 978-84-9874-174-2

Introducción

Diseño tejidos desde hace más de quince años. Me fascinan las antiguas técnicas de bordado. He estudiado detenidamente telas bordadas vintage y muestras de tela antiguas para inspirarme en ellas y lograr diseños nuevos e interesantes. Este libro es perfecto para expertos en bordados y para quienes nunca antes hayan cosido pero sean aficionados a los bolsos porque en él hallarán inspiración e instrucciones para iniciarse. En las páginas siguientes se aprende a crear bolsos propios, auténticamente originales que sorprenderán y encandilarán a las amigas.

Los veinte modelos individuales de bolsos florales se pueden confeccionar a partir de doce puntos de bordado sencillos,

claramente ilustrados al principio del libro. También se muestran las técnicas de montaje que permiten convertir la tela bordada en un accesorio tan atractivo como práctico: un bolso.

Para cada proyecto se explica paso a paso el diseño del bordado, enseñando a lograr dibujos espectaculares a partir de distintos hilos, cintas y lanas. Cuentas, lentejuelas y botones vintage y modernos añaden detalles y brillo a las labores.

Se pueden reproducir los modelos exactamente o servirse de ellos como punto de partida, adaptándolos como más guste. De este modo se puede confeccionar un sinfín de bolsos, cada uno de ellos único y personal. Espero que disfrutéis bordando y confeccionando los bolsos tanto como yo y que utilicéis y os gusten los que podáis crear.

Susan Cariello

7

Antes de empezar

Antes de empezar a confeccionar un bolso deben reunirse cuantos materiales y equipo se necesiten para el proyecto. Pocas cosas son más frustrantes que comenzar una labor y tener que parar a la mitad porque falta un componente esencial. Afortunadamente, no se requiere nada fuera de lo común para confeccionar los bolsos de este libro, así es que, antes de empezar, se repasa este capítulo y se realizan todas las compras antes de ponerse a coser.

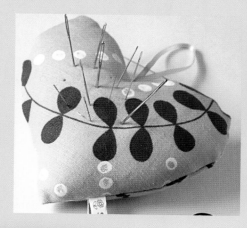

Fuentes de inspiración

Antes de empezar cualquier labor o diseño me anima una sensación de auténtica pasión y entusiasmo. La sola idea de crear algo fresco y original es emocionante y mi imaginación vuela con todas las posibilidades. Desde las preciosas telas que puedo utilizar y los nuevos hilos de rayón o de gruesa lana que puedo probar hasta los puntos de bordado más adecuados, sueño con el aspecto que tendrá el bolso una vez terminado.

Si se crea un modelo propio de bolso, la inspiración es fundamental para motivar y conducir al espíritu creativo. Los bolsos personales y realmente originales deben destacar entre los demás y convertirse en algo propio.

Tablero de creatividad

Cada persona se inspira en distintas fuentes y no existe una regla estricta y rápida para buscar y encontrar ideas. Un buen punto de partida es hacerse con un tablero de creatividad. Se compra un tablero y muchas chinchetas en una papelería y se cuelga el tablero en un lugar donde se pueda observar con facilidad: ¡la inspiración agazapada detrás de una puerta no es de gran ayuda!

Aconsejo ojear revistas y periódicos y recortar las fotos que llamen la atención. Puede tratarse de una simple muestra de un color particular, la última tendencia de la moda, el interior de un loft de diseño o un simple detalle de decoración en un jarrón vintage o en una cafetera antigua.

Se pueden incluir postales reunidas en los viajes, o retalitos de tela, o cualquier botón o cuenta que se hayan conservado. Trozos de cordón, de galones, objetos encontrados que nos hayan gustado —aunque no sepamos por qué—; todo eso puede ser fuente de inspiración.

Colocando esos objetos en el tablero de creatividad se puede empezar a ver qué es lo más atractivo; qué colores, formas y motivos gustan más. Es un modo magnífico de hallar inspiración.

▶ *Tablero de creatividad en mi estudio. Dispongo de varios tableros y cambio su contenido para refrescar continuamente mi imaginación.*

Telas y fornituras

Me encanta ir a las tiendas de tejidos y a las mercerías a ver hilos, galones y fornituras. Me puedo pasar horas mirándolo todo, reuniendo muestras de tejidos que me gustan y cintas, botones y galones de pasamanería a los que no me puedo resistir. Y esas muestras y trocitos los pongo en mi tablero de creatividad (¿por qué conformarse con un solo tablero?) y ellos espolean mi imaginación.

También en tiendas de objetos vintage y en mercadillos de antigüedades se encuentran telas y galones estupendos. Si el bolso va a ser lo más personal posible, la diferencia puede estar en ese único botón antiguo que se encontró el mes pasado rebuscando en una caja en la trastienda de una almoneda.

Flores y plantas

Otra valiosa e inagotable fuente de inspiración está en la observación de flores y plantas. Se puede hacer un simple esbozo de las formas e ideas de un ramito de flores comprado en una tienda, o dar un paseo por el

◀ *Compré esos grandes rollos de puntillas en una fábrica de ropa que cerraba y espero que me duren muchos años.*

▼ *Me gustan todo tipo de flores y hojas, pero sobre todo las que presentan contornos gráficos y colores limpios y frescos.*

◄ Los libros que reproducen ilustraciones antiguas, tanto botánicas como zoológicas, contienen láminas preciosas.

▲ Esta flor (ver Primera flor, página 44) se inspira directamente en la ilustración de la izquierda.

campo y recoger unas cuantas flores silvestres o unas hojas caídas en el otoño, o sentarse en el jardín y absorber lo que ofrece el entorno.

Es muy buena idea tener a mano un pequeño bloc o un cuaderno de dibujo para dibujar lo que llame la atención, desde cómo se forman los tallos, las hojitas y los delicados pétalos de una margarita hasta las grandes rosas clásicas. No se trata de dibujar perfectamente las flores y las hojas, los esbozos son sólo para uno mismo y, siempre que contengan la información que se precise, son muy valiosos.

La naturaleza ofrece unas formas tan bellas que cualquiera que sea la flor o la planta que capte nuestra imaginación, será un fantástico punto de partida para futuros diseños.

Ilustraciones de botánica

Otro modo de estudiar las flores y las plantas es ojeando libros de botánica. He reunido una considerable colección de estos libros a lo largo de los años y los ojeo siempre que busco un detalle que me inspire.

Mi preferido es un ejemplar de Pierre-Joseph Redouté, cuyas hermosas láminas de flores y plantas ofrecen infinitas posibilidades e inspiración para bordados y aplicaciones. Buscar dibujos y motivos florales en libros de diseños textiles es también un buen modo de empezar.

Museos y galerías de arte

Otra forma de estímulo e inspiración es la que se obtiene recorriendo museos y galerías de arte. Personalmente, me gustan las salas dedicadas a tejidos y trajes de los museos nacionales y locales, y me detengo a examinar las telas suntuosas y los impresionantes bordados antiguos de los trajes y accesorios expuestos.

Me entusiasman y me motivan las técnicas y puntos utilizados para crear las piezas, y tomo nota de ellos. De regreso a mi estudio, combino esas notas con muestras de telas, de hilos y de fornituras y los resultados me inspiran nuevas ideas que se harán realidad en modelos acabados.

Reunir materiales

Ya se cuenta con un tablero de creatividad o se han coleccionado estampas, dibujos, muestras de telas o galones bonitos. Se tiene una idea de los colores en que se desea hacer el bolso. El siguiente paso consiste en reunir las telas, hilos y fornituras que se van a necesitar.

Las telas

La tela que se elija va a determinar el efecto final del diseño y del bolso. Disfruto realmente yendo a la tienda de tejidos y a las mercerías locales a tocar y sentir las distintas texturas antes de decidirme por la tela que va a constituir la base de mi bolso. Ya se trate de ir a la tienda de telas para confección o a la de tejidos de decoración, a un almacén, un mercadillo o una almoneda, hay unas cuantas cosas que se deben tener en cuenta al elegir las telas.

Con independencia del uso que se vaya a dar al bolso, lo que se desea es que sea práctico y duradero. Las telas finas o vaporosas —como el dupión de seda o las telas translúcidas o de tejido abierto— son

preciosas a la vista pero no son muy resistentes para un bolso de uso diario. Se deben reservar para bolsos de ocasiones especiales.

Una tela gruesa o intermedia, de buena calidad —quizá una lana aterciopelada y rica o un lino de grosor intermedio—, es perfecta para los primeros proyectos.

Las telas de tapicería son magníficas porque son gruesas e ideales para confeccionar bolsos algo grandes. Sin embargo, hay que tener cuidado de no elegir una tela demasiado gruesa, pues la máquina de coser podría tener dificultades para atravesar todas las capas de tela al hacer las costuras del bolso.

◀ *El dibujo de esta tela sirvió de inspiración para un bolso (ver Luces trémulas, página 126).*

▲ *Ningún bolso requiere mucha tela, por eso basta con comprar un metro de la que más guste y que se vaya a utilizar algún día en una labor.*

En general, prefiero las fibras naturales —algodón, lino y lana— porque me resultan más fáciles de manipular y de trabajar y me gustan el tacto y la belleza que aportan al bolso.

He anotado exactamente las telas que he utilizado en cada proyecto, pero se pueden emplear otras alternativas. Siempre que la tela elegida sea práctica, la elección del color, de la textura y del dibujo dependen por entero del gusto personal.

Para las telas de forro he utilizado casi siempre un algodón liso para los bolsos de primavera/verano, y un raso de poliéster más grueso para los de otoño/invierno.

Conforme se confeccionen más bolsos (y espero que así sea) y se vayan reuniendo muestras de tela y trozos de galones, convendrá clasificarlos por combinaciones de color. Será más fácil encontrar las telas adecuadas

para futuras labores. Nunca tiro nada porque hasta el retalito más pequeño puede encontrar un hueco en un bolso nuevo.

Hilos, cordones y lanas

Lo siguiente es reunir todos los hilos, cordones y lanas necesarios para bordar los motivos de la labor. Al igual que para las telas, he indicado en cada proyecto los hilos que he utilizado.

Cuando se hayan hecho varios bordados, se tendrá experiencia para saber qué aspecto y textura tiene cada hilo en el bordado terminado y eso será fuente de ideas para futuras labores. Por lo general utilizo madejas de bordar en rayón brillante y algodón mouliné para los motivos más delicados. En otros proyectos, para lograr un marcado aspecto gráfico, he empleado lana de grosor intermedio para bordados de tapicería y lanas para tejer con agujas.

No hay reglas sobre la elección de los hilos. Por ejemplo, se pueden conseguir efectos fantásticos

▶ *He reunido botones de todas las formas y colores. Los busco en ferias de artesanía y tiendas de segunda mano, además de por internet.*

con el mohair y la chenilla más irregulares, incluso bordando con tiras de organdí de seda metalizado.

Lo único que hay que tener en cuenta es que si la tela es de tejido abierto, como una lana de textura, se puede utilizar una hebra más gruesa para bordar. Si la tela es tupida, de tejido apretado, como el dupión de seda, se necesitan hilos más finos.

Adornos

Se precisan algunas fornituras y galones. Pueden ser cuentas de distintas formas y tamaños —como perlas de lágrima, seed beads y canutillos— y lentejuelas planas o cóncavas, individuales o en tiras.

Para cada bolso se necesita un cierre magnético. También a veces cintas —de seda o de trencilla de algodón— y botones de varios tamaños y colores, vintage o nuevos.

Entretelas y entretelas fuertes

Se necesitará una entretela para dar rigidez y reforzar algunas partes del bolso. Las hay de distinto grosor y se pueden comprar para pegar con la plancha o para coser: yo utilizo esta última porque me ofrece mejores resultados.

También hará falta una entretela tejida de refuerzo gruesa para dar estabilidad a los bolsos. Se puede comprar en buenas tiendas de telas y da cuerpo a las labores, además de reforzarlas.

Para obtener bases sólidas he utilizado un bucarán grueso en algunos bolsos.

Los hilos

Los hilos de coser se coordinarán con las telas para montar el bolso. Se pueden adquirir en mercerías.

Las cuentas se cosen con hilo de coser fuerte o con hilo especial para enfilar, aunque su gama de color es limitada.

◀ *Poseo muchas bobinas de hilo de coser, incluidos hilos decorativos para bordar a máquina.*

El equipo

Para bordar bonitos motivos de flores e incluirlos en bolsos originales y de gran belleza, se necesita un equipo que incluya varias piezas. Seguramente todas se encuentran en las mercerías y tiendas de tejidos. Vale la pena comprar un costurero de modista con compartimentos en los que guardar todo el equipo y los hilos ordenados y listos para ser utilizados en la futura labor.

Equipo básico

1 Bastidores de bordar: para bordar, se necesitan bastidores de aro de varios tamaños. No importa que el motivo no quepa entero en el aro, sólo hay que desplazar con cuidado la tela conforme se borda.

Colocar la tela por encima del aro interno y, con cuidado, poner el aro externo encima de la tela y del aro interno. Apretar el aro externo con el tornillo lateral. Si la tela no queda bien tensada, se tira de ella despacio todo alrededor del aro.

2 Agujas: se necesitan agujas de bordar de distintos tamaños, dependiendo de los hilos y hebras que se utilicen. Se usará una aguja de zurcir para bordar con tiras de tela. También habrá que contar con una selección de agujas de coser, incluidas algunas de enfilar finas para adornos delicados.

3 Alfileres: los mejores son los de modista largos, con cabeza de color para verlos mejor. Un alfiletero para tenerlos a mano es preferible a una caja.

4 Tijeras: un par de tijeras de buena calidad es fundamental. Se tendrá un par aparte para cortar los patrones de papel. Las tijeras pequeñas de bordar son indispensables para cortar con precisión. Un descosedor viene muy bien para quitar puntadas cuando haga falta.

5 Marcadores: se necesita un lápiz HB, un marcador para tela y un jaboncillo de sastre.

6 Reglas y cinta métrica: en este libro se utilizan medidas métricas, por lo que se elegirán reglas con esa marcación. Se necesita una regla y una cinta métrica, y un juego de cartabones o un cartabón para patrones serán muy útiles.

Otro equipo básico

Máquina de coser: es fundamental disponer de una buena máquina de coser, sólida. La mía tiene más de treinta años y sigue estando fuerte, pero seguramente una máquina de coser moderna y ligera hace la misma función.

Plancha: una buena plancha de vapor servirá para eliminar arrugas del bordado antes de convertirlo en un bolso.

Varios: también son útiles un dedal de metal y un enhebrador.

◄ *Es suficiente una máquina de coser con funciones básicas para confeccionar los bolsos de este libro.*

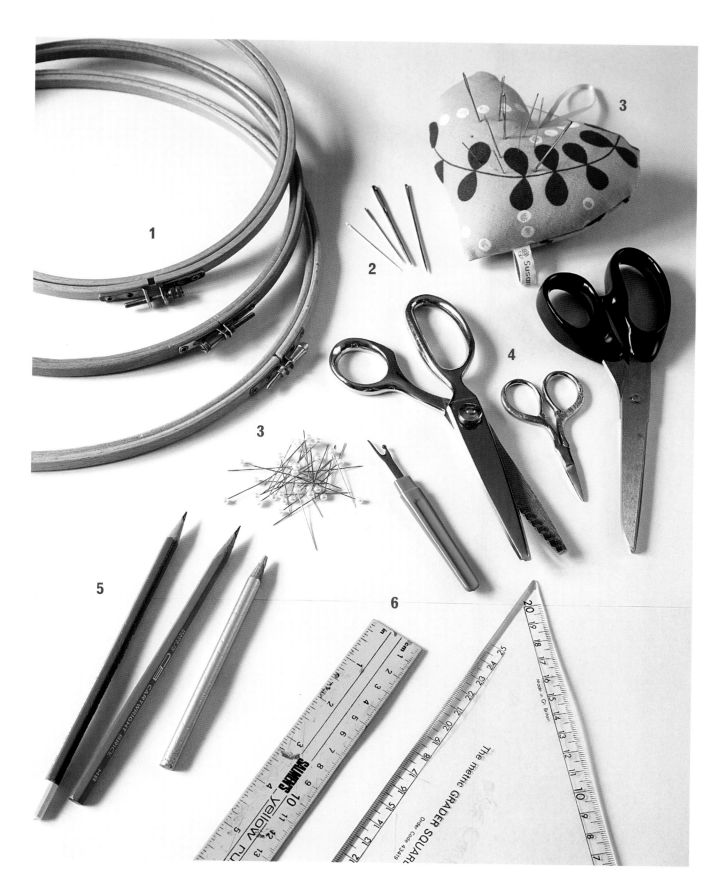

Técnicas

He diseñado los bolsos de este libro utilizando tan sólo doce puntos de bordado, para que los principiantes lleguen a dominar los conocimientos de bordado necesarios. Para confeccionar los bolsos, todo cuanto se debe saber es hacer una costura a máquina.

La última costura sobrecargada por el borde superior de un bolso tiene que quedar en línea recta y, si no se ha hecho nunca antes, conviene practicar en un retal de la misma tela antes de confeccionar el bolso.

Galería de puntos

Aunque sólo se usa un número limitado de puntos de bordado para los motivos florales de este libro, si se realizan utilizando distintos tipos de hilo y de hebras se obtienen resultados diferentes.

Si nunca se ha bordado antes a mano, se empieza por practicar todos los puntos utilizando hilo de varias hebras para bordar sobre una tela de algodón intermedia. Seguir con cuidado las ilustraciones y no tirar demasiado de la hebra al coser para no fruncir la tela.

Cuando se domine un punto, hacer una pequeña muestra de prueba con la tela y los hilos del proyecto antes de empezar el bolso. Los distintos tipos de hilo y hebras se deben tensar de modo diferente para que el punto quede bonito.

Bastilla

Es el punto de bordado más sencillo y se utiliza para dibujar tallos de flores o realzar el contorno de una flor o de una hoja.

Siguiendo la línea del dibujo, pasar la aguja por la tela, hacia abajo y hacia arriba, dando puntadas de igual longitud. (Este largo puede variar según el resultado que se desee).

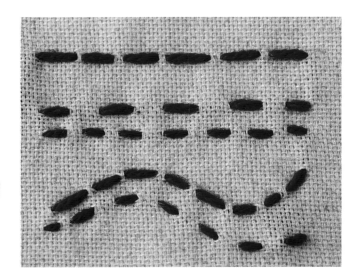

Pespunte

Este punto atrás es sencillo y está indicado para tallos finos, para marcar el contorno de una flor o dibujar una hoja.

Salir con la aguja por la tela y dar una puntada pequeña y recta hacia atrás. Salir de nuevo con la aguja a una puntada de distancia por delante de la puntada anterior. Hacer otro pespunte, pinchando la aguja donde termina la puntada anterior. Seguir así, haciendo una línea de pespuntes.

Punto de espinapez

Este punto decorativo es uno de mis favoritos.
Es perfecto para bordar hojas y produce un gran
efecto tanto con lana gruesa como con hilo fino.

1 Salir con la aguja por la tela en A y pincharla en B,
dando una pequeña puntada recta.

2 Salir de nuevo con la aguja en C.

3 Pinchar la aguja en D. Hacer una puntada hacia arriba
inclinada y salir con la aguja en E.

4 Pinchar la aguja en F, dando una puntada hacia abajo
inclinada, solapando la puntada anterior. Salir con la aguja
en G.

5 Pinchar la aguja en H, comprobando que la puntada
queda junto a la anterior.

6 Seguir dando puntadas inclinadas, alternando un lado y
otro, hasta haber rellenado el dibujo.

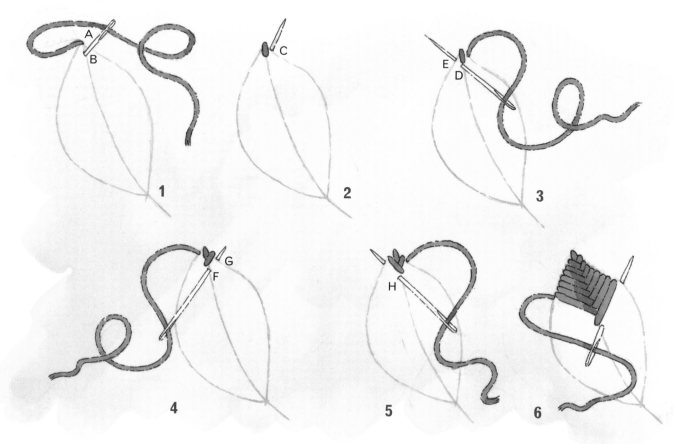

Punto de cadeneta

Este punto se puede utilizar para dibujar un tallo grueso, para marcar el contorno de flores u hojas grandes, o en líneas juntas para rellenar una figura.

1 Salir con la aguja en A. Sujetar la hebra sobre la tela con el pulgar y pinchar la aguja muy cerca de donde salió.

2 Salir con la aguja en B, por dentro de la presilla de hilo.

3 Tirar despacio de la hebra para tensar la presilla y pinchar de nuevo la aguja en B.

4 Salir con la aguja en C, dentro de la última presilla de hilo.

5 Tensar la presilla y pinchar de nuevo la aguja en C. Seguir así hasta que la cadeneta tenga el largo adecuado.

6 Para afianzar la última presilla de la cadeneta, salir con la aguja por dentro de la presilla y dar un pequeño punto raso por encima del final de la presilla, sujetándola.

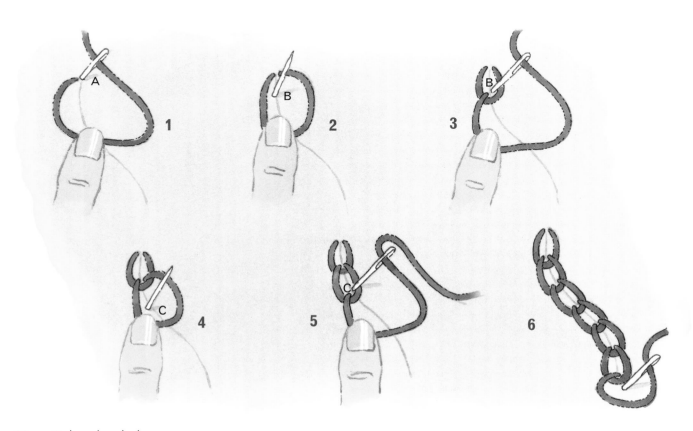

Cadeneta suelta

Este punto se trabaja igual que el de cadeneta (ver página 22), pero en presillas individuales y no en cadena. Se hace una sola presilla para dibujar una hoja delicada, o se agrupan varias formando ramitas.

Salir con la aguja en A. Sujetar la hebra sobre la tela con el pulgar, pinchar la aguja de nuevo cerca de donde salió. Salir con la aguja en B, dentro de la presilla. Dar un pequeño punto raso por encima de la presilla para sujetarla.

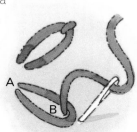

Punto de ojal

También llamado festón, es un punto muy versátil que se utiliza para bordes y remates, e incluso para dibujar ruedas cuando se trabaja en redondo.

1 Salir con la aguja en A. Pincharla en B y sacarla de nuevo por C, pasando con ella por encima de la presilla de hilo.

2 Tensar con cuidado la presilla y pinchar la aguja en D para sacarla de nuevo en E. Seguir así, afianzando la última presilla con un pequeño punto raso.

3 Para bordar una rueda, dibujar unos círculos concéntricos para determinar las líneas de costura interior y exterior. Hacer puntos de ojal de la forma habitual, pero situando los puntos muy juntos en el círculo interior y espaciándolos en el círculo exterior.

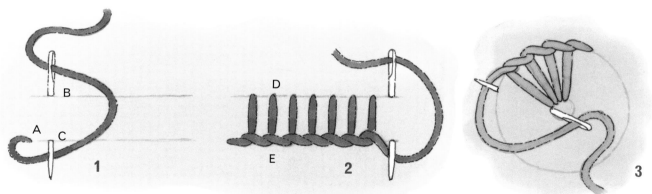

Punto de nudo

Este delicado punto se puede utilizar suelto para bordar el centro de una flor, o en grupos para dibujar racimos de flores pequeñitas y capullos de flor.

1 Salir con la aguja y la hebra por la tela. Enrollar dos veces la hebra alrededor de la aguja y sujetar las vueltas con el pulgar de la mano izquierda (aquí no se ha ilustrado el pulgar porque taparía la hebra).

2 Sujetando bien la hebra, pinchar la aguja junto al punto por el que salió. Tirar de la hebra por el revés para formar un nudo sobre la tela. Luego se puede volver a salir por la tela para hacer el nudo siguiente.

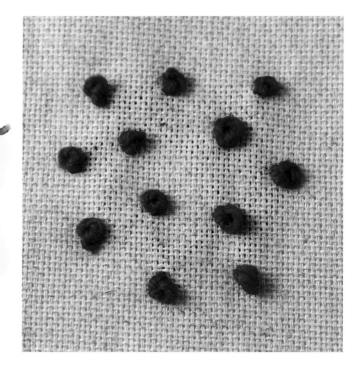

Punto de rosa

Con este punto se bordan flores en relieve, sobre todo si se trabaja con la hebra doble.

1 Hacer un punto de nudo (ver arriba) para el centro de la flor, cuidando de no tensar demasiado la hebra. Salir con la aguja en A, pincharla en B y pasarla hasta C.

2 Pasar la hebra por encima del punto raso recién hecho y pinchar la aguja en D para sacarla en E.

3 Seguir haciendo puntos rasos alrededor del nudo, rodeándolo varias veces. Para que la flor quede en relieve no hay que tensar demasiado las hebras.

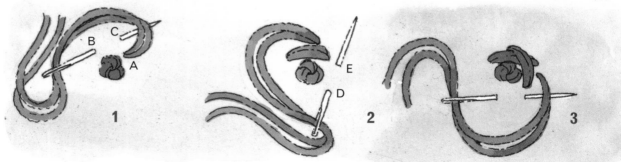

Punto de margarita

Es una variación del punto de cadeneta suelta (ver página 23) y se puede utilizar para bordar flores pequeñas de unos cinco pétalos, como las de arriba a la izquierda. Los puntos se pueden alargar y juntar, como arriba a la derecha, para hacer flores mayores, tipo margarita.

1 Las presillas individuales se trabajan igual que las cadenetas sueltas. Situar el empiece de cada punto junto al anterior para formar un círculo, que será el centro de la flor.

2 El punto raso pequeñito se forma al final de la presilla para sujetarla y se pasa la aguja hasta el lugar donde vaya a empezar el punto siguiente.

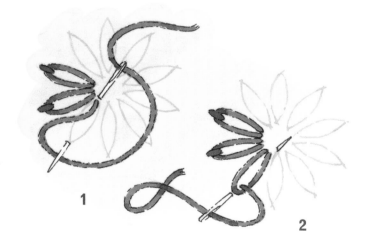

Punto de telaraña

Utilizar este punto para bordar flores en redondo que pueden quedar en relieve, sobre todo si se trabajan con hebras gruesas o incluso con tiras de tela para entretejer el bordado. Empezar por dibujar un círculo que indique la forma de la flor.

1 Salir con la aguja por la tela en A y pincharla en B para hacer un punto raso.

2 Volver a salir con la aguja en A, pincharla en C y sacarla de nuevo en D.

3 Pinchar la aguja de nuevo en A y seguir así alrededor del círculo, formando siete "radios" de puntos rasos, a espacios iguales.

4 Enhebrar una aguja de zurcir con el hilo o la tira que se vaya a entretejer. Salir con la aguja por la tela en A. Pasar la aguja alternativamente por encima y por debajo de los "radios", trabajando en redondo hasta haber rellenado la telaraña.

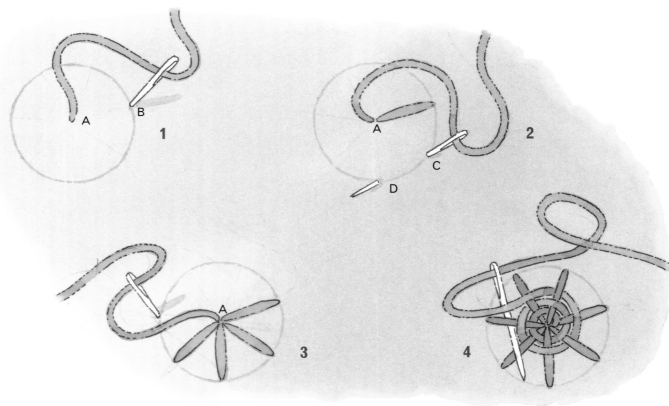

Punto de satén

Este punto muy sencillo es perfecto para rellenar zonas lisas de un diseño y para bordar pétalos de flores. Las puntadas se deben dar juntas y se mantienen los bordes iguales para que quede una forma suave.

1 Después de dibujar la forma de la flor, salir con la aguja en A y pincharla en B.

2 Salir de nuevo con la aguja en C, al lado de A, y pincharla en D, junto a B.

3 Seguir así hasta haber rellenado la flor.

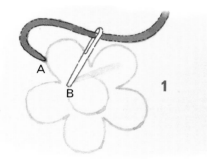 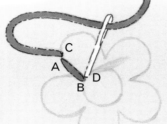 

Punto raso

Es una simple variación del punto de satén (ver arriba) y con él se borda una flor en un instante. Se empieza por dibujar un círculo que indique el borde externo de la flor.

1 Salir con la aguja por la tela en A y pincharla en B haciendo un punto raso.

2 Salir de nuevo con la aguja en C y pincharla otra vez en B.

3 Seguir así alrededor del círculo, espaciando las puntadas por igual.

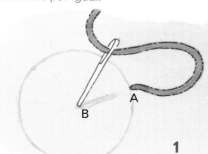 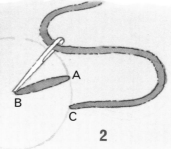 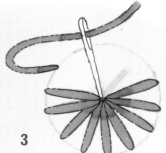

Montar los bolsos

Existen tres tipos principales de bolsos —el bolso aplastado, el bolso con base y el clutch o bolso de mano—. Dentro de estos estilos hay tres variaciones del bolso aplastado y dos del bolso con base. En cada proyecto se indican exactamente las instrucciones de montaje para terminar el modelo explicado.

Ninguno de los estilos de bolsos es difícil de realizar, ya que no incluyen nada más complicado que hacer una costura simple a máquina. Se deben leer atentamente los pasos antes de empezar un proyecto. Si no se está totalmente seguro de algo, siempre se puede hacer antes una prueba con un recorte de tela.

Montar un bolso aplastado

Para este tipo de bolso se presentan tres variaciones. Dos de ellas llevan pinzas en las esquinas inferiores que dan forma al bolso, mientras la tercera lleva unos pliegues arriba.

1. Bolso pequeño con boquilla contrastada, pinzas y asas dobladas
2. Bolso mediano con pinzas y asas forradas
3. Bolso mediano con pliegues arriba

---

1. Bolso pequeño con boquilla contrastada, pinzas y asas dobladas

Estos pequeños bolsos son un accesorio muy adecuado para bodas, cenas y fiestas en general. En ellos cabe todo lo necesario para esas ocasiones y al mismo tiempo resultan elegantes.

Proyectos a los que se aplican estas instrucciones
• Un lazo y un ramo (ver páginas 52-57)
• Negro y crema (ver páginas 118-121)

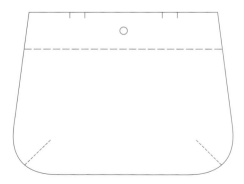

Patrón 1 (ver página 135)

Exterior del bolso

1 Ampliar el Patrón 1 un 149% y recortarlo para hacer una plantilla de papel. Prender la plantilla sobre la entretela fuerte y cortar dos piezas idénticas. Reservarlas.

2 Cortar la plantilla por la línea de puntos horizontal: la parte de arriba pequeña se denomina A, y la sección inferior, B. Prender la plantilla B sobre la tela bordada. Antes de empezar a bordar ya se habrá dibujado un contorno que ahora se debe casar perfectamente con la plantilla. Añadir 1 cm todo alrededor para margen de costura y recortar con tijeras para tela **(Fig. 1)**. Cortar el dorso del bolso utilizando la misma plantilla y la tela lisa.

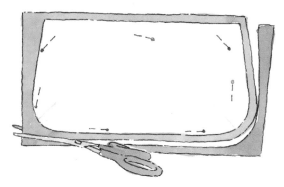

Fig. 1

3 Prender la plantilla A sobre la tela contrastada y cortar dos veces esa forma, añadiendo también 1 cm de margen de costura todo alrededor.

4 Poniendo derecho con derecho, prender la tela contrastada sobre el borde superior de la tela bordada. Seleccionar en la máquina de coser un punto recto mediano y hacer la costura, dejando un margen de 1 cm **(Fig. 2)**.

Fig. 2

5 Planchar los márgenes de costura hacia la tela contrastada de arriba. Sobrecargar la costura en la vista, con un hilo coordinado, cosiendo junto a la costura y pillando los márgenes de costura **(Fig. 3)**. Unir las otras piezas A y B de igual manera para montar el dorso del bolso.

6 Con el derecho hacia fuera, prender el frente del bolso a una de las piezas de entretela cortadas en el paso 1: a partir de ahora, las dos piezas se trabajan como una sola.

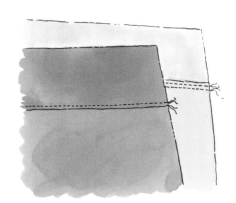

Fig. 3

7 Para hacer las pinzas, doblar derecho con derecho la esquina superior izquierda, de manera que el lado izquierdo quede alineado con el borde inferior, y prender el doblez en su sitio. Desde la esquina inferior izquierda medir 5 cm a lo largo del doblez y marcar ese punto con un lápiz **(Fig. 4)**. Repetir el proceso en el otro borde del frente del bolso y en los dos bordes del dorso. La posición de las pinzas se indica en el patrón con líneas de puntos.

8 Coser las pinzas a máquina. Empezando por el borde exterior y a 1,5 cm del doblez, hacer una costura recta hasta el punto marcado a lápiz. Anudar los hilos para afianzar la costura. Coser así todas las pinzas.

Fig. 4

9 Poniendo derecho con derecho, prender el frente del bolso con el dorso, casando los laterales, el fondo y las pinzas **(Fig. 5)**. Hacer a máquina una costura por los bordes, dejando abierto el borde superior. Volver el bolso del derecho.

10 Remitirse al patrón para marcar a lápiz la posición de las asas en el borde superior del bolso, en el frente y en el dorso.

Asas dobladas

1 Prender las piezas de tela para las asas con las piezas de entretela fuerte correspondientes: a partir de aquí, las dos capas se trabajan como una sola.

2 Siguiendo los bordes largos de las tiras, doblar y planchar 1 cm hacia el centro. Luego doblar la tira por la mitad (ocultando los cantos) y volver a planchar **(Fig. 6)**.

3 Seleccionar en la máquina un punto recto mediano. Con un hilo coordinado, hacer una costura a lo largo del borde abierto de cada tira.

4 Recortar las puntas de cada tira, asegurándose de que quedan igual de largas.

5 Prender los extremos de un asa sobre el derecho del frente del bolso, casándolos con las marcas del patrón. Comprobar que la costura del asa queda hacia los laterales del bolso a ambos lados y que el asa no queda retorcida **(Fig. 7)**. Prender de igual manera la otra asa al dorso del bolso.

6 Coser los extremos de las asas en su sitio, a 1 cm de los cantos sin rematar. Coser hacia delante y hacia atrás varias veces para afianzar bien las asas **(Fig. 8)**.

Forro del bolso

1 Prender la plantilla A sobre la tela de la vista y cortar dos piezas iguales, añadiendo 1 cm todo alrededor para el margen de costura. Con la misma plantilla, cortar dos piezas de entretela fuerte, añadiendo también 1 cm de margen alrededor. Con el derecho hacia fuera, prender las piezas de la vista sobre las de entretela y a partir de ahora trabajar las dos capas como una sola.

2 Prender la plantilla B sobre la tela del forro y cortar dos piezas iguales, añadiendo 1 cm de margen todo alrededor para las costuras.

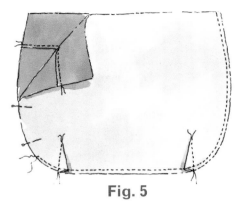

Fig. 5

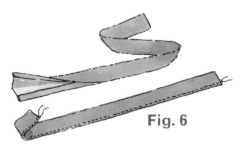

Fig. 6

Fig. 7

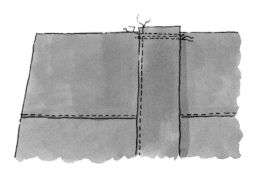

Fig. 8

3 Poniendo derecho con derecho, prender el borde inferior de una vista sobre el borde superior de una pieza del forro. Seleccionar en la máquina de coser un punto recto mediano y coser las piezas. Planchar y sobrecargar la costura como en el paso 5 del Exterior del bolso. Repetir el proceso con las otras piezas de la vista y del forro.

4 Repetir los pasos 7-8 del Exterior del bolso para hacer una pinza, derecho con derecho, en cada esquina inferior de las piezas del forro para el delantero y el dorso.

5 Poniendo derecho con derecho, prender las piezas del delantero y del dorso del forro, casando los laterales y las pinzas. Hacer una costura a máquina por los bordes, dejando el borde superior abierto. Dejar el forro con el derecho hacia dentro.

6 Según el patrón, marcar la posición del cierre magnético en el derecho de la vista. Con un cúter, hacer con cuidado dos pequeñas incisiones, justo lo bastante grandes para insertar las patas del cierre **(Fig. 9)**. Introducir las patas en las incisiones y luego, siguiendo las instrucciones del fabricante, situar el disco de retención encima de las patas y comprobar que queda a ras de la tela. Doblar las patas para sujetar ese lado del cierre en su sitio.

7 Poner el lado libre del cierre sobre el lado unido a la vista. Presionar las patas salientes contra la vista del otro lado para marcar su posición **(Fig. 9)**. Separar el cierre y fijar el lado libre en el lado opuesto de la vista, donde están las marcas, del mismo modo que antes. Así se asegura que las dos partes del cierre quedan alineadas.

Acabado

1 Poniendo derecho con derecho, colocar el exterior bordado del bolso por dentro del forro, casando las costuras laterales y los cantos superiores sin rematar. Comprobar que las asas quedan hacia abajo entre las dos capas. Prender el exterior del bolso con el forro por el borde superior.

2 Seleccionar en la máquina de coser un punto recto mediano. Dejando un margen de 1 cm, hacer una costura por el borde superior, dejando una abertura entre los extremos del asa en el dorso del bolso **(Fig. 10)**.

3 Volver el bolso del derecho por la abertura dejada arriba, sacando las asas y luego metiendo el forro dentro del bolso. Doblar hacia dentro los márgenes de costura en la abertura entre los extremos del asa.

4 Con la máquina de coser y un hilo coordinado, hacer una costura por el borde superior del bolso, cerrando la abertura al mismo tiempo **(Fig. 11)**.

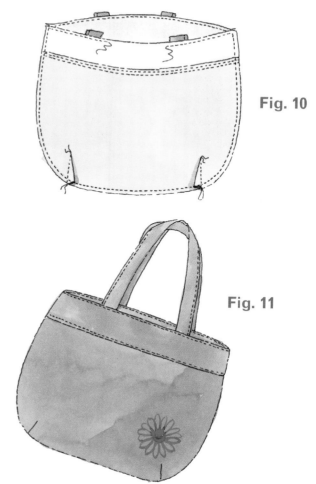

Fig. 10

Fig. 11

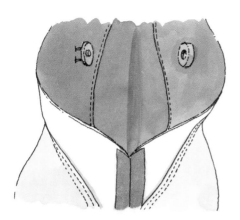

Fig. 9

2. Bolso mediano con pinzas y asas forradas

Este estilo de bolso es perfecto para diario. Ya se trate de pasar el día en la oficina o de compras, en él cabe todo cuanto se pueda necesitar sin que resulte grande o voluminoso.

Proyectos a los que se aplican estas instrucciones

- Rosa y vivo
  (ver páginas 58-61)
- Flores silvestres
  (ver páginas 76-79)
- Jardín fresco
  (ver páginas 80-85)
- Chic veraniego
  (ver páginas 86-89)
- Flores vintage
  (ver páginas 96-99)
- Resplandor del fuego
  (ver páginas 114-117)
- Luces trémulas
  (ver páginas 126-129)
- Jardín de invierno
  (ver páginas 130-133)

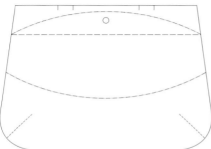

Patrón 2 (ver página 136)

Exterior del bolso

1 Seguir los pasos de Exterior del bolso, del Bolso pequeño con boquilla contrastada, pinzas y asas dobladas (ver páginas 29-30), ampliando el Patrón 2 un 161%.

Si el bolso que se confecciona no lleva la parte de arriba de otro color, no hay necesidad de cortar para hacer el exterior del bolso y se saltan los pasos 3-5.

La línea discontinua que marca una sección en curva en el frente del Patrón 2, solamente se aplica a Resplandor del fuego. El bolso Luces trémulas sigue estas instrucciones, pero se basa en el Patrón 3 en lugar de en el Patrón 2.

Seguir las instrucciones dadas en cada proyecto para introducir las variaciones oportunas.

Forro del bolso

1 Cortar la plantilla por la línea discontinua para tener una sección superior (A) y una sección inferior mayor (B). Seguir los pasos de Forro del Bolso pequeño con boquilla contrastada, pinzas y asas dobladas (ver páginas 30-31).

Asas forradas

1 Prender las piezas de tela para las asas con las piezas adecuadas de entretela: a partir de ahora las dos capas se trabajan como una sola.

2 Siguiendo los bordes largos de cada tira, doblar y planchar 1 cm y prenderlo **(Fig. 1)**.

3 Planchar doblado hacia dentro un borde de 12 mm a lo largo de las piezas de forro de las asas.

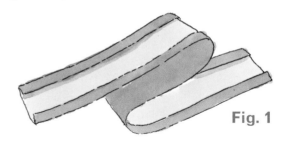

Fig. 1

4 Poniendo revés con revés, prender las asas de tela con las tiras de forro, de modo que queden ocultos los cantos y el forro no asome por el derecho **(Fig. 2)**.

5 Las asas se pueden coser al bolso siguiendo los pasos 4-6 de Asas dobladas de Bolso pequeño con boquilla contrastada, pinzas y asas dobladas (ver página 30). Prender las asas al bolso, con el forro mirando hacia fuera.

Acabado

Seguir los pasos de Acabado de Bolso pequeño con boquilla contrastada, pinzas y asas dobladas (ver página 31).

Asas cosidas por fuera

1 Otro método para coser las asas forradas consiste en montarlas cuando ya está montado el resto del bolso: en los proyectos individuales se sugiere el método más apropiado. Hay que añadir 3 cm al largo de cada asa para este tipo de asas en todos los bolsos. Recortar las puntas de las asas, comprobando que son igual de largas.

2 Doblar hacia dentro 1 cm en cada extremo de las asas. Prender los extremos de las asas sobre el bolso, a 4 cm del borde superior de éste, alineándolos con las marcas del patrón **(Fig. 3)**.

3 Coser a máquina con cuidado las asas, afianzándolas bien. Hacer una costura alrededor de los bordes y luego atravesada sobre el asa, siguiendo la línea de borde del bolso. Por último, hacer dos costuras decorativas en diagonal, dentro del rectángulo sobrecargado **(Fig. 4)**.

Fig. 2

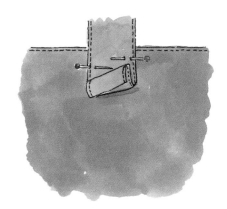

Fig. 3

Fig. 4

3. Bolso mediano con pliegues arriba

Otro bolso con el tamaño perfecto para utilizar todo el día. Este estilo lleva unos pliegues cosidos a una banda de color contrastado, que le aportan gracia.

Proyectos a los que se aplican estas instrucciones
• Margaritas (ver páginas 92-95)
• Flores y botones (ver páginas 108-111)

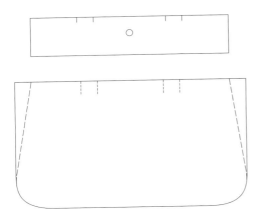

Patrón 4 (ver página 138)

Exterior del bolso

1 Ampliar un 175% las dos partes del Patrón 4. La parte de arriba se denomina A y la de abajo, B. Igual que el paso 2 de Bolso pequeño con boquilla contrastada, pinzas y asas dobladas (ver página 29), prender la plantilla B sobre la tela bordada. Añadir 1 cm de margen de costura y cortar la tela. Cortar el dorso del bolso utilizando la misma plantilla y tela lisa.

2 Con la misma plantilla y añadiendo márgenes de costura como para la tela bordada, cortar dos piezas de entretela fuerte. Poniendo el derecho hacia fuera, prender el frente del bolso sobre una pieza de entretela:

a partir de ahora las dos capas se trabajan como una sola. Prender el dorso del bolso con la otra pieza de entretela y trabajar esas dos capas como una sola. Con un lápiz, dibujar las marcas de los pliegues arriba de la plantilla B sobre el revés de la entretela.

3 Prender la plantilla A sobre la tela contrastada para la boquilla. Añadir un margen de 1 cm todo alrededor y recortar dos piezas iguales. Con la misma plantilla y añadiendo el margen de costura igual que para la tela contrastada, cortar dos piezas de entretela fuerte. Con el derecho hacia fuera, prender las piezas de tela sobre las de entretela y trabajar las dos capas como una sola.

4 Poniendo derecho con derecho y casando los bordes laterales, prender el frente del bolso bordado con una pieza de la boquilla. La pieza bordada debe ser más ancha que la de la boquilla, por eso se prenden solamente los costados **(Fig. 1)**.

5 Por el revés, pellizcar el borde superior de la tela bordada en las marcas realizadas en el paso 2, para formar dos pequeños pliegues. Comprobar que los dobleces por el revés de los pliegues quedan mirando hacia el centro del bolso y que la tela bordada queda aplastada sobre la boquilla contrastada. Prender los pliegues en su sitio **(Fig. 2)**.

6 Siguiendo los pasos 4-5 de Exterior del bolso del Bolso pequeño con boquilla contrastada, pinzas y asas dobladas (ver página 29), coser la sección bordada con la banda superior, cosiendo los pliegues en su sitio al mismo tiempo **(Fig. 3)**. Montar el dorso del bolso con su banda superior y coserlos.

7 Siguiendo los pasos 9-10 de Exterior del bolso del Bolso pequeño con boquilla contrastada, pinzas y asas dobladas (ver página 30), coser el frente del bolso con el dorso y marcar la posición de las asas.

Asas dobladas
Seguir los pasos de Asas dobladas del Bolso pequeño con boquilla contrastada, pinzas y asas dobladas (ver página 30).

Forro del bolso
Cortar por la línea discontinua de la plantilla B para hacer la plantilla del forro. Seguir los pasos 1-3 y 5-7 del Forro del bolso del Bolso pequeño con boquilla contrastada, pinzas y asas dobladas (ver páginas 30-31) para montar el forro y poner el cierre magnético.

Acabado
Seguir los pasos de Acabado del Bolso pequeño con boquilla contrastada, pinzas y asas dobladas (ver página 31).

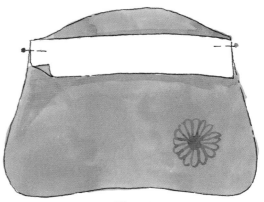

Fig. 1

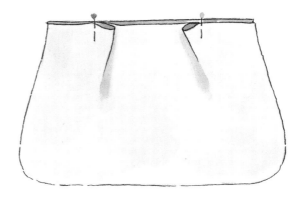

Fig. 2

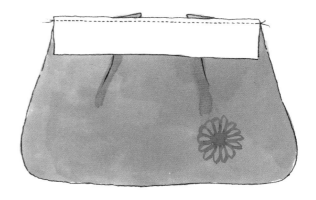

Fig. 3

Montar un bolso con base

Hay dos versiones de este tipo de bolsos. Una versión lleva el borde superior recortado en forma decorativa y la otra incluye unos pliegues suaves que le dan mayor capacidad.

1. Bolso con base y embocadura con forma
2. Bolso con base y pliegues arriba

---

1. Bolso con base y embocadura con forma

Es un estilo de bolso lleno de glamour que queda fabuloso en cualquier ocasión. También resulta muy práctico porque su base rectangular permite guardar en él todo lo que sea necesario.

Proyectos a los que se aplican estas instrucciones
• Primera flor (ver páginas 44-47)
• Flores del bosque (ver páginas 62-65)
• Les roses (ver páginas 68-71)

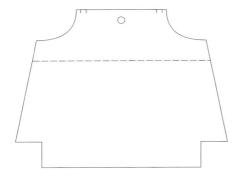

Patrón 5 (ver página 139)

Exterior del bolso

1 Ampliar un 202% el Patrón 5. Igual que se indica en el paso 2 del Bolso pequeño con boquilla contrastada, pinzas y asas dobladas (ver página 29), prender la plantilla sobre la tela bordada. Añadir alrededor un margen de 1 cm y recortar la forma con tijeras para tela. Cortar el dorso del bolso de tela lisa.

2 Con la misma plantilla y añadiendo margen de costura como para la tela bordada, cortar dos piezas de entretela fuerte. Poniendo el derecho hacia fuera, prender el frente sobre una de las piezas de entretela: a partir de ahora trabajar las dos capas como una sola. Prender la pieza del dorso con la otra entretela y trabajar las dos capas como una sola.

3 Poniendo derecho con derecho, prender las piezas del frente y del dorso por los laterales y la base, dejando abiertas las esquinas entrantes de abajo y el borde curvo de arriba. Seleccionar en la máquina de coser un punto recto mediano. Dejando un margen de 1 cm, coser los costados y la base **(Fig. 1)**.

4 Aplastar las esquinas entrantes de modo que la costura lateral toque la de la base y prender. Con la máquina de coser y dejando un margen de 1 cm, hacer una costura atravesada en cada esquina **(Fig. 2)**. Hacer dos líneas de costura para reforzar.

5 Según la plantilla, marcar suavemente a lápiz la posición de las asas arriba del borde delantero. Hacer lo mismo en el dorso.

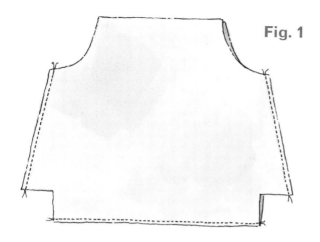

Fig. 1

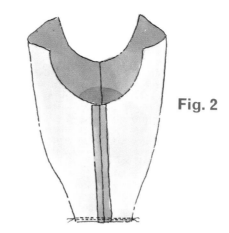

Fig. 2

Asas dobladas

Seguir los pasos de Asas dobladas del Bolso pequeño
con boquilla contrastada, pinzas y asas dobladas
(ver página 30).

Forro del bolso

1 Cortar la plantilla por la línea discontinua: la sección
de arriba es para la vista, y la de abajo, para el forro.
Seguir los pasos 1-3 de Forro del bolso del Bolso pequeño
con boquilla contrastada, pinzas y asas dobladas
(ver páginas 30-31) para montar la vista y el forro **(Fig. 3)**.

2 Coser el frente con el dorso y hacer las esquinas
cuadradas igual que en los pasos 3-4 de Exterior del
bolso.

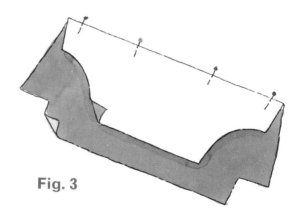

Fig. 3

3 Por último, seguir los pasos 6-7 de Forro del bolso del
Bolso pequeño con boquilla contrastada, pinzas y asas
dobladas (ver página 31) para fijar el cierre magnético.

Acabado

1 Seguir los pasos 1-3 de Acabado del Bolso pequeño
con boquilla contrastada, pinzas y asas dobladas
(ver página 31).

2 Con cuidado, introducir la base de bucarán por la
abertura dejada entre los extremos del asa **(Fig. 4)**.
Comprobar que la base queda encajada en las esquinas
del fondo del bolso.

3 Doblar hacia dentro los márgenes de costura de la
abertura entre los extremos del asa. Con un hilo
coordinado, hacer una costura por el borde superior del
bolso, cerrando la abertura al mismo tiempo.

Fig. 4

2. Bolso con base y pliegues arriba

Este estilo de bolso es el que más capacidad tiene de los presentados en el libro. Además de una base rectangular, lleva unos pliegues cosidos a la banda contrastada de arriba que dan amplitud al cuerpo del bolso.

Proyectos a los que se aplican estas instrucciones
• Rojo pasión (ver páginas 72-75)
• Flores de otoño (ver páginas 100-103)
• Hojas y escarcha (ver páginas 122-125)

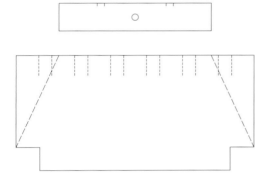

Patrón 6 (ver página 140)

Exterior del bolso

1 Ampliar un 223% las dos partes del Patrón 6. La sección de arriba se denomina A y la de abajo B. Igual que en el paso 2 del Bolso pequeño con boquilla contrastada, pinzas y asas dobladas (ver página 29), prender la plantilla B sobre la tela bordada. Añadir 1 cm de margen de costura y cortar la forma con tijeras para tela. Cortar el dorso del bolso de tela lisa.

2 Con la misma plantilla y añadiendo margen de costura igual que para la tela bordada, cortar dos piezas de entretela fuerte. Con el derecho hacia fuera, prender el frente del bolso sobre una de las piezas de entretela: a partir de ahora trabajar las dos capas como una sola. Prender el dorso del bolso sobre la otra pieza de entretela y trabajar las dos capas como una sola. Con un lápiz, dibujar las marcas de plisado en el borde superior, por el revés de la entretela.

3 Por el revés, pellizcar el borde superior de la tela bordada por las marcas dibujadas en el paso 2 para formar seis pequeños pliegues. Comprobar que los dobleces por el revés de los pliegues quedan mirando hacia el centro del bolso, prenderlos y luego hilvanarlos en su sitio **(Fig. 1)**.

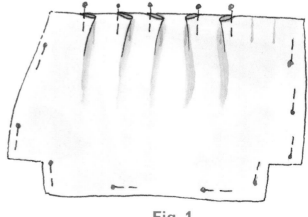

Fig. 1

4 Prender la plantilla A sobre la tela de contraste para la banda de arriba. Añadir un margen de 1 cm alrededor y cortar dos veces esa forma con tijeras para tela. Con la misma plantilla y añadiendo margen de costura como antes, cortar dos piezas de entretela. Con el derecho hacia fuera, prender la tela de contraste sobre una pieza de entretela y trabajar las dos capas como una sola.

5 Siguiendo los pasos 4-5 de Exterior del bolso del Bolso pequeño con boquilla contrastada, pinzas y asas dobladas (ver página 29), coser la sección bordada con la banda, alineando bien los costados y cosiendo los pliegues en su sitio al mismo tiempo **(Fig. 2)**. Quitar el hilván. Montar el dorso del bolso con la banda y coser las dos piezas.

6 Poniendo derecho con derecho, prender las piezas del frente y del dorso del bolso por los laterales y por la base, dejando abierto el borde superior y las esquinas entrantes de abajo **(Fig. 3)**. Seleccionar en la máquina un punto recto mediano. Dejando un margen de 1 cm, hacer las costuras de los lados y de la base. Seguir los pasos 4-5 de Exterior del bolso del Bolso pequeño con base y embocadura con forma (ver página 36) para coser las esquinas y marcar la posición de las asas.

Asas dobladas
Seguir los pasos de Asas dobladas del Bolso pequeño con boquilla contrastada, pinzas y asas dobladas (ver página 30).

Forro del bolso
1 Cortar la plantilla B por las líneas discontinuas para hacer la plantilla del forro. Seguir los pasos 1-3 de Forro del bolso del Bolso pequeño con boquilla contrastada, pinzas y asas dobladas (ver páginas 30-31) para montar la vista y el forro.

2 Coser el frente con el dorso y hacer las esquinas cuadradas como en los pasos 3-4 de Exterior del bolso con base y embocadura con forma (ver página 36).

3 Por último, seguir los pasos 6-7 de Forro del bolso del Bolso pequeño con boquilla contrastada, pinzas y asas dobladas (ver página 31) para poner el cierre magnético.

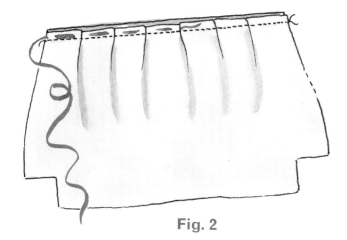

Fig. 2

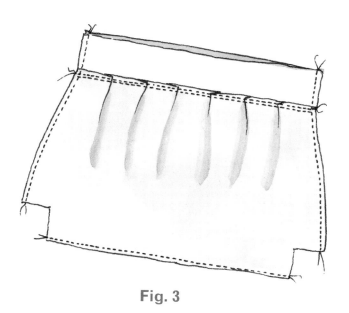

Fig. 3

Acabado
1 Seguir los pasos de Acabado del Bolso con base y embocadura con forma (ver página 37). En el bolso de colgar al hombro se puede omitir la base de bucarán (como hice yo) para lograr un aspecto más suave.

Montar un clutch

Los dos bolsos de cartera de este libro se hacen igual.
Es un modelo muy sencillo de confeccionar porque no
hay que ponerle asas.

Clutch

Tradicionalmente es un tipo de bolso clásico para
noche, pero también queda bonito para día. No cabe
mucho en él, pero es tan elegante que se le perdona
y es fácil conformarse con llevar menos cosas.

**Proyectos a los que se aplican estas
instrucciones**
• Lavanda suave (ver páginas 48-51)
• Verde viña (ver páginas 104-107)

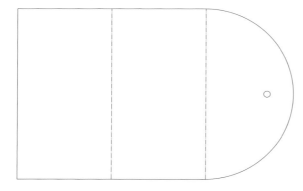

Patrón 7 (ver página 141)

Exterior del bolso

1 Ampliar un 218% el Patrón 7. Igual que en el paso 2 del
Bolso pequeño con boquilla contrastada, pinzas y asas
dobladas (ver página 29), prender la plantilla sobre la tela
bordada. Recortar con tijeras para tela, dejando
alrededor un margen de 1 cm.

2 Prender la misma plantilla sobre la entretela fuerte.
Añadir margen de costura igual que para la tela bordada
y recortar. Marcar a lápiz las líneas de doblez
discontinuas, sobre el revés de la entretela.

3 Con el derecho hacia fuera, prender la tela bordada
con la entretela: a partir de ahora se trabajan las dos
capas como una sola.

4 Poniendo derecho con derecho, doblar el bolso por la
primera línea de doblez y prender los costados.
Seleccionar en la máquina de coser un punto recto
mediano. Dejando un margen de 1 cm, hacer las costuras
laterales **(Fig. 1)**.

Forro del bolso

1 Prender la plantilla sobre la tela de forro. Añadir un
margen de costura de 1 cm alrededor y recortar la forma
con tijeras para tela.

2 Cortar la plantilla por la segunda línea discontinua
para separar la parte curvada de la solapa. Retirar el
resto de la plantilla. Prender la parte de la solapa sobre la
entretela fuerte para la solapa y recortar la forma.

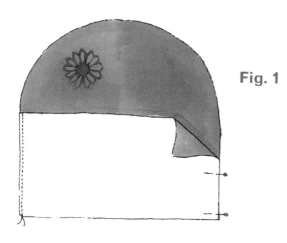

Fig. 1

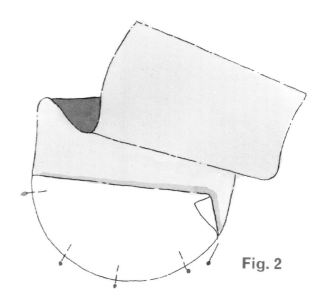

Fig. 2

3 Colocar la sección de entretela para la solapa sobre la sección de solapa por el revés de la tela del forro y prender las dos capas por el borde en curva **(Fig. 2)**.

4 Seguir el paso 4 de Exterior del bolso para doblar el forro y hacer las costuras laterales. Siguiendo el paso 6 de Forro del bolso del Bolso pequeño con boquilla contrastada, pinzas y asas dobladas (ver página 31), fijar una mitad del cierre magnético sobre el derecho de la solapa del forro con entretela, en el lugar indicado en la plantilla.

Acabado

1 Poniendo derecho con derecho y casando las costuras laterales, meter el bolso bordado dentro del forro. Prender las capas por los bordes.

2 Seleccionar en la máquina un punto recto mediano. Empezando en el borde frontal, hacer una costura alrededor del borde frontal y de la solapa, dejando en el centro del frente una abertura de unos 15 cm **(Fig. 3)**. Seguramente habrá que dar dos pequeños cortes en cada una de las costuras laterales para poder pasar la tela en línea recta por la máquina de coser. Volver el bolso del derecho.

3 Seguir el paso 7 de Forro del bolso del Bolso pequeño con boquilla contrastada, pinzas y asas dobladas (ver página 31) para fijar la otra parte del cierre magnético en el frente del bolso. Pasar por la abertura dejada en el bolso para doblar las patas del cierre. Procurar que coincidan las dos partes del broche para que el bolso quede plano al cerrarlo.

4 Doblar hacia dentro los márgenes de costura de la abertura. Con un hilo coordinado, hacer una costura por el borde frontal y la solapa del bolso, cerrando la abertura al mismo tiempo **(Fig. 4)**.

Fig. 3

Fig. 4

Bolsos de primavera

Mi colección de primavera presenta unos bolsos con una paleta de colores frescos y optimistas y con delicados bordados que anuncian la nueva floración y los primeros brotes de hojas de la estación. Las formas son tan prácticas para el día a día y los diseños tan bonitos que se puede llevar el bolso con confianza en cualquier ocasión, de vestir o de diario. Una boda de verano puede ser el momento de lucir Lavanda suave o Un lazo y un ramo, mientras que una relajada comida con amigas es la mejor ocasión para llevar Primera flor.

Primera flor

PUNTOS EMPLEADOS
- **Punto de satén**
- **Bastilla**
- **Punto de espinapez**
- **Punto raso**

Este bonito bolso de primavera en color crema es un modelo realmente espectacular. He elegido un encaje escarlata de un rojo vibrante para bordar una llamativa flor de estilo amapola, que aporta textura y una interesante dimensión creativa. Para las hojas grandes he optado por marrón chocolate, que se repite en el botón extra grande y en las lentejuelas del centro de la flor. Las hojas bordadas con lana fina, en tonos matizados desde el verde lima hasta el oliva intenso, animan el conjunto con su frescura.

Materiales

45 × 70 cm de tejido de lana grueso, con textura, en crema, para el bolso

45 × 70 cm de entretela tejida, fuerte y gruesa, para el bolso

35 × 12 cm de algodón peinado grueso, marrón chocolate, para las asas

35 × 12 cm de entretela de coser mediana, para las asas

38 × 24 cm de tejido de lana grueso, con textura, en crema, para la vista

38 × 24 cm de entretela de coser, gruesa, para la vista

45 × 50 cm de tela de forro de algodón crema, para el bolso

28 × 10 cm de bucarán fuerte, para la base

Puntilla de 1 cm de ancho, escarlata, marrón chocolate y marrón café

Hilo de coser fuerte de color oscuro

Botón vintage amarillo

Lentejuelas marrón chocolate

Lana fina en marrón chocolate, marrón arena y tres o cuatro colores en varios matices degradados de verde lima a verde oliva

Hilos de coser coordinados con las telas crema y marrón chocolate

Cierre magnético

Botón extra grande marrón chocolate

Equipo

Patrón 5 (ver página 139)

Tijeras para tela

Alfileres largos de modista

Lápiz

Bastidor de bordar grande

Aguja de zurcir

Tijeras de bordar pequeñas

Aguja de coser fina

Agujas de bordar de varios tamaños

Regla

Plancha

Máquina de coser

Primera flor

1 ▲ **Ampliar el Patrón 5** en la proporción indicada y recortarlo para hacer una plantilla de papel. Prender la plantilla sobre el tejido crema con textura y dibujarla, añadiendo 2 cm de margen para la costura y por si encoge la tela. Retirar la plantilla. Con el lápiz, dibujar suavemente el motivo, guiándose por la fotografía principal. Colocar la tela en el bastidor de bordar (ver página 16).

2 ▲ **Utilizando la aguja** de zurcir y la puntilla escarlata, bordar la flor a punto de satén, haciendo los pétalos de uno en uno hasta tenerlos terminados todos.

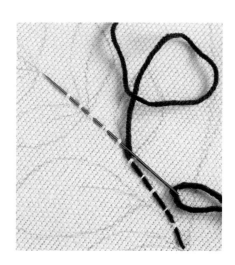

3 ▲ **Con el hilo fuerte** coser un botón amarillo antiguo en el centro de la flor.

4 ▲ **Para terminar** el centro de la flor, coser unas lentejuelas marrón chocolate alrededor del botón, juntándolas bien.

5 ▲ **Con la lana marrón chocolate** dibujar las líneas de los tallos con una bastilla.

6 ▲ **Con la aguja de zurcir** y la puntilla marrón chocolate, bordar la hoja grande de abajo en la base del tallo, a punto de espinapez. Bordar la otra hoja grande con la puntilla marrón café.

7 ▲ **Utilizando las lanas verdes** y empezando por el color más claro arriba de cada tallo, bordar las hojas pequeñas a punto de espinapez. Cuando se hayan hecho unas cuatro hojas, cambiar a otro tono un poco más oscuro de verde y bordar otras cuantas hojas. Terminar por bordar con el verde oliva más oscuro las hojas de la base de las ramas. Con la lana marrón arena, dar tres puntos rasos en la base de las hojas.

8 ◄ **Sacar la tela del bastidor** y montar el bolso siguiendo las instrucciones del Bolso con base y embocadura con forma (ver páginas 36-37). Para terminar, coser un botón marrón extra grande en el centro, arriba del frente del bolso.

Lavanda suave

PUNTOS EMPLEADOS
- **Punto de nudo**
- **Pespunte**
- **Punto raso**
- **Punto de espinapez**

Este sencillo y elegante clutch en dupión de seda del más pálido color peltre es un bolso imperecedero. Las delicadas ramitas de lavanda están bordadas a punto de nudo con cinta de algodón lavanda y enriquecidas con cuentas de plata y seed beads lavanda-morado. Bordeado de lentejuelas cuadradas en plata mate y rematado con un par de cuentas de vidrio con facetas en color violeta apagado, este bolso tan clásico durará toda una vida.

Materiales
55 × 38 cm de dupión de seda color peltre claro

55 × 38 cm de entretela gruesa para coser

55 × 38 cm de tela de forro de algodón crema

38 × 20 cm de entretela tejida, fuerte y gruesa, para la solapa del bolso

Ovillo de cinta de algodón lavanda

Hilo fuerte de color neutro

Cuentas pequeñas en plata

Seed beads pequeñas lavanda

Madeja de rayón brillante en verde hierba y morado

Hilos de coser coordinados con el dupión y el forro crema

Cierre magnético

Lentejuelas cuadradas en plata mate

Selección de cuentas de vidrio en plata y violeta apagado

Equipo
Patrón 7 (ver página 141)

Tijeras para tela

Alfileres largos de modista

Lápiz

Bastidor de bordar grande

Agujas de bordar de varios tamaños

Aguja de enfilar fina

Tijeras de bordar pequeñas

Regla

Plancha

Máquina de coser

Aguja de coser fina

Lavanda suave

1 ◀ **Ampliar el patrón 7** en la proporción indicada y recortarlo para hacer una plantilla de papel. Prender la plantilla sobre la tela de dupión color peltre y dibujar el contorno, añadiendo 2 cm de margen para la costura y por si encoge la tela. Retirar la plantilla. Con el lápiz, dibujar suavemente el motivo, guiándose por la fotografía principal e indicando las ramitas de flor con sólo la línea central muy suave. Colocar la tela en el bastidor de bordar (ver página 16).

2 ▲ **Con la cinta lavanda** como hebra y empezando en la punta de cada ramita, bordar las pequeñas flores a punto de nudo. Trabajar hacia abajo, haciendo los nudos bastante juntos. Seguir hasta tener una ramita en forma de espiga de lavanda.

3 ▲ **Para añadir detalle** a las ramitas, coser con hilo fuerte unas cuentas de plata, de una en una, entre los puntos de nudo. Situarlas como mejor parezca para realzar la flor. Luego coser unas pequeñas seed beads lavanda en las ramitas, también por entre los puntos de nudo.

4 ▲ **Cortar un trozo** de la madeja de hilo de bordar de rayón y separar las hebras en dos grupos. Así se obtienen dos hilos más finos para bordar en lugar de uno solo grueso.

5 ◄ **Empezando en la base** de una de las ramitas, bordar el fino tallo central a pespunte. Repetir con los otros tallos de flor. Bordar unas hojitas con tres puntos rasos a cada lado del tallo, justo debajo de las espigas de flor.

6 ► **Bordar las delicadas** hojas a punto de espinapez. Para añadir detalles a estas hojas, tomar una sola hebra de la madeja de rayón morado y hacer un único punto raso en la base de cada hoja.

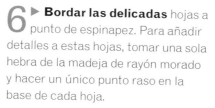

7 ◄ **Retirar la tela** del bastidor y montar el bolso siguiendo las instrucciones del Clutch (ver páginas 40-41). Cuando esté terminado de montar, coser una fila de lentejuelas cuadradas por el borde de la solapa, con hilo de coser fuerte. Colocar una lentejuela, pinchar la aguja por el agujero, atravesar la tela de seda y salir por el borde de la lentejuela. Volver a pinchar la aguja en el agujero y salir por donde primero salió (ver detalle). Coser todas las lentejuelas de ese modo.

8 ▲ **Por último, realizar** el broche enfilando varias cuentas de plata y unas cuentas de vidrio violeta en hilo de enfilar fuerte. Coserlas al centro del borde de la solapa. Repetir para hacer dos pequeñas borlas de cuentas.

Un lazo y un ramo

Este encantador bolsito se hace en dupión de seda verde oliva y se remata con una embocadura y un elegante lazo de seda rojo frambuesa que forma un marcado contraste. La delicadeza del bordado —realizado con puntilla rosa y lanas de distinto grosor— y los largos cabos de la lazada aportan un toque suntuoso, adecuado para la ocasión. Es un accesorio perfecto para una fiesta de primavera, ya sea una noche en la ópera, una boda maravillosa o una copa relajada con amigos.

PUNTOS EMPLEADOS

- **Punto de telaraña**
- **Punto de margarita**
- **Punto de espinapez**
- **Punto raso**
- **Punto deslizado**
- **Bastilla**
- **Cadeneta suelta**

Materiales

35 × 45 cm de dupión de seda verde oliva claro, para el bolso

35 × 50 cm de entretela tejida, fuerte y gruesa, para el bolso

30 × 16 cm de dupión de seda rojo frambuesa, para la banda de arriba contrastada

35 × 8 cm de dupión de seda verde oliva claro, para las asas

35 × 8 cm de entretela de coser mediana, para las asas

35 × 40 cm de tela de forro de raso rosa fuerte, para el bolso

30 × 16 cm de dupión de seda rojo frambuesa, para la vista

30 × 16 cm de entretela de coser mediana, para la vista

80 × 10 cm de dupión de seda rojo frambuesa, para el lazo

Hilo de bordar rosa

Puntilla de 1 cm de ancho en rosa chicle

Lana gruesa en lavanda claro

Hilo de coser fuerte de color neutro

Cuentas pequeñas en oro viejo

Lana fina verde oliva fuerte y crudo

Hilos de coser coordinados con las telas de seda y del forro

Cierre magnético

Equipo

Patrón 1 (ver página 135)

Tijeras para tela

Alfileres largos de modista

Lápiz

Bastidor de bordar grande

Agujas de bordar de varios tamaños

Tijeras de bordar

Aguja de zurcir

Aguja de enfilar

Regla

Plancha

Máquina de coser

Aguja de coser fina

Un lazo y un ramo

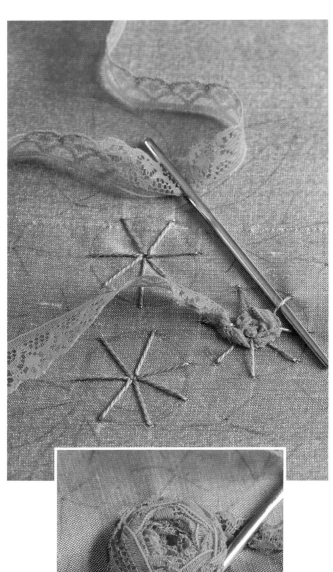

1 ▲ **Ampliar el Patrón 1** en la proporción indicada y cortar la sección por debajo de la línea discontinua horizontal para hacer una plantilla de papel. Prender la plantilla sobre el dupión de seda verde y dibujar el contorno, dejando un margen de 2 cm para la costura y por si encoge la tela. Retirar la plantilla. Con el lápiz, dibujar suavemente el motivo, guiándose por la fotografía principal. Colocar la tela en el bastidor de bordar (ver página 16). Con el hilo de bordar rosa, hacer siete radios para la telaraña en cada flor.

2 ▲ **Con la puntilla rosa chicle** y la aguja de zurcir, entretejer los radios de la telaraña. Empezando en el centro, pasar la aguja por encima y por debajo de los radios, tensando bien la puntilla. Trabajar cada flor de este modo hasta tener totalmente cubiertos los radios (ver detalle).

3 ▲ **Bordar las flores** pequeñas a punto de margarita, haciendo cinco pétalos para cada flor, con la lana lavanda.

4 ▲ **Coser una cuenta** dorada en el centro de cada margarita lavanda, con el hilo de coser fuerte.

5 ◀ **Con lana verde oliva fuerte** bordar las hojas grandes a punto de espinapez. Terminar cada hoja con tres puntos rasos de lana cruda para añadirles detalle.

Coser las cuentas

Se puede utilizar hilo especial de enfilar —en lugar de hilo de coser fuerte— para coser las cuentas, pero el hilo de enfilar sólo existe en ciertos colores. Yo uso hilo de coser fuerte y siempre me ha dado buen resultado. Si se desea se puede encerar el hilo, pero no demasiado porque dejaría marca en la seda.

Un lazo y un ramo

6 ▲ **De nuevo con lana** verde oliva, bordar los tallos de las ramitas de hojas con una bastilla. Empezando arriba de cada ramita y haciendo cadenetas sueltas, bordar las hojitas individuales para terminar el bordado. Retirar la tela del bastidor y montar el bolso siguiendo las instrucciones del Bolso pequeño con boquilla contrastada, pinzas y asas dobladas (ver páginas 28-31).

8 ▶ **Recortar la tela sobrante** en los extremos cortos. Volver la banda del derecho por la abertura. Doblar hacia dentro los márgenes de costura de la abertura, coserla a punto deslizado y planchar la banda.

7 ▲ **Poniendo derecho con derecho,** doblar la banda larga de dupión rojo frambuesa por la mitad a lo largo. Con la máquina de coser, hacer una costura por los cantos dejando un margen de 1 cm y una abertura de 10 cm en el centro del borde largo. Coser en diagonal los lados cortos, como en la fotografía.

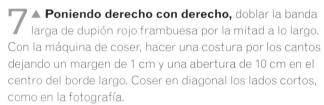

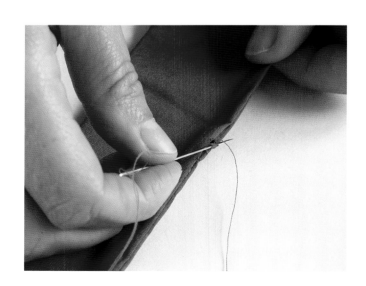

9 ◀ **Anudar la banda** formando una lazada, dejando los cabos largos.

10 ▶ **Con hilo de coser a tono,** coser con cuidado el lazo sobre la banda de la boquilla arriba del bolso, dando unas puntadas por debajo del nudo.

Variación

Este bolsito se ha hecho con la misma tela de seda verde oliva claro, pero sin banda contrastada en la boquilla. Para confeccionar esta versión, utilizar el patrón entero y omitir los pasos 2-5 de Exterior del bolso en las instrucciones de montaje. El lazo zapatero está hecho como el del bolso Hojas y escarcha (ver página 122). El bordado consiste solamente en margaritas lavanda y hojas verdes.

Rosa y vivo

PUNTOS EMPLEADOS
- **Punto de telaraña**
- **Bastilla**
- **Punto de espinapez**
- **Punto de margarita**
- **Cadeneta suelta**

Este bolso, realizado en lino rosa fuerte, incluye una amplia variedad de técnicas de bordado y de decoración con cuentas. En él se muestra una combinación de texturas, hilos y lanas, desde el mohair rosa muy claro hasta el rayón lila brillante, desde los finos hilos de un rico color ciruela hasta fibras de viscosa de intenso colorido. Mezclando y armonizando hilos se aporta interés a la labor, por eso hay que dejarse llevar por la creatividad para mezclarlos. La unidad se logra ateniéndose a una misma paleta de color.

Materiales

40 × 30 cm de tela de lino rosa fuerte, para el frente del bolso

40 × 30 cm de tela de lino rojo ladrillo, para el dorso del bolso

40 × 60 cm de entretela tejida, fuerte y gruesa, para el bolso

45 × 10 cm de tela de lino rojo ladrillo, para las asas

45 × 10 cm de entretela de coser mediana, para las asas

45 × 10 cm de forro rosa fuerte, para las asas

35 × 14 cm de tela de lino rojo ladrillo, para la vista

35 × 14 cm de entretela de coser gruesa, para la vista

40 × 50 cm de forro de raso rosa fuerte

Hilo fino de bordar matizado en rojo/ciruela intenso

Cordón de viscosa matizado en magenta/carmín/rojo

Hilo de bordar carmín con brillos

Hilo de coser fuerte de color neutro

Cuentas de perla con acabado envejecido

Ovillo de cinta de algodón en fucsia

Cuentas nacaradas color mora intenso

Ovillo de cinta de rayón lila pálido y rosa apagado

Seed beads en plata envejecida, rosa pálido, rojo rubí y lila apagado

Lana de mohair rosa pálido

Lana rosa bebé

Hilos de coser coordinados con las telas de lino y de forro

Cierre magnético

Equipo

Patrón 2 (ver página 136)

Tijeras para tela

Alfileres largos de modista

Lápiz

Bastidor de bordar grande

Agujas de bordar de varios tamaños

Tijeras de bordar pequeñas

Aguja de zurcir

Aguja de enfilar fina

Regla

Plancha

Máquina de coser

Rosa y vivo

1 ▲ **Ampliar el patrón 2** en la proporción indicada y recortarlo para hacer una plantilla de papel. Prender la plantilla sobre el lino rosa y dibujar el contorno añadiendo un margen de 2 cm para la costura y por si encoge la tela. Retirar la plantilla. Con el lápiz, dibujar suavemente el motivo, guiándose por la fotografía principal. Colocar la tela en el bastidor (ver página 16). Con el hilo de bordar matizado, hacer los siete radios de cada telaraña. Con el mismo hilo, bordar todos los tallos con una bastilla y las hojas a punto de espinapez.

2 ▲ **Con el cordón de viscosa** matizado y aguja de zurcir, rellenar la telaraña. Empezando en el centro, pasar el cordón por encima y por debajo de los radios alternos hasta cubrirlos del todo y tener formada una rosa.

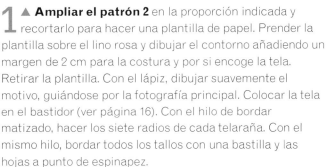

3 ◄ **Trabajando metódicamente** sobre la tela, bordar dos ramitas de margaritas con el hilo carmín con brillos. Empezando arriba de cada tallo, hacer un punto de margarita para cada capullo, tres puntos para cada botón de flor y cinco para cada flor abierta. Coser una perla en el centro de cada flor abierta, con hilo de coser fuerte. Bordar el tercer tallo con el hilo fucsia, cosiendo una cuenta color mora en el centro de las flores.

4 ► **Con la cinta de rayón** lila y haciendo cadenetas sueltas, bordar un grupo de ramitas de hojas. Bordar el otro grupo con cinta de rayón rosa. Coser una seed bead rosa pálido en la punta de cada hoja.

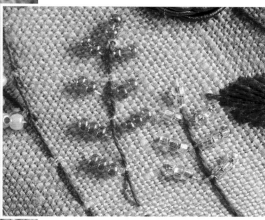

5 ◂ **Con el hilo de coser fuerte,** coser grupos de tres seed beads lila a cada lado de las ramitas más pequeñas. Repetir con el resto de las ramitas, utilizando cuentas plata envejecida, rojo rubí y rosa pálido (ver detalle).

6 ◂ **Con lana de mohair** rosa pálido, bordar dos de las flores mayores y dos capullos de flor a punto de margarita. Con lana rosa bebé, bordar la otra flor grande.

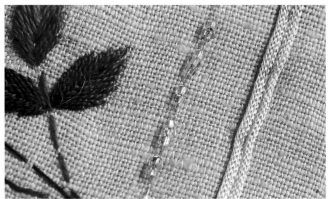

7 ▴ **Coser una línea discontinua** de seed beads color plata en la base del bordado, poniendo dos o tres por rayita. Retirar la tela del bastidor y coser a máquina una tira de cinta de rayón lila debajo de las cuentas. Montar el bolso siguiendo las instrucciones del Bolso mediano con pinzas y asas forradas (ver páginas 32-33). Coser las asas sobre el bolso montado.

Flores del bosque

PUNTOS EMPLEADOS
- **Bastilla**
- **Punto raso**
- **Punto de espinapez**
- **Punto de margarita**
- **Punto de satén**
- **Cadeneta suelta**
- **Punto de telaraña**

Este elegante bolso en lino azul agua está bordado en una variedad de hilos de lana fina en verde —desde el más claro de los verdes helecho hasta el aguacate, pasando por el verde hierba y el oliva— combinada con un sepia vibrante, azul turquesa y topo de fibras de rayón. El bolso se completa con cuentas nacaradas grandes verde manzana y marrón chocolate, con lentejuelas aplastadas color agua y con un botón de filigrana antiguo. Los tonos crudos se equilibran con la delicadeza de los bordados.

Materiales

45 × 70 cm de tela de lino agua, para el bolso

45 × 70 cm de entretela tejida, fuerte y gruesa, para el bolso

35 × 12 cm de tela de lino agua pálido, para las asas

35 × 12 cm de entretela de coser mediana, para las asas

38 × 24 cm de tela de lino agua, para la vista

38 × 24 cm de entretela de coser gruesa, para la vista

45 × 50 cm de tela de algodón crema, para el forro

28 × 10 cm de bucarán grueso, para la base

Lana fina en verde manzana, helecho claro, verde hierba y verde oliva fuerte

Hilo de coser fuerte de color neutro

Cuentas nacaradas grandes en marrón chocolate y verde manzana

Ovillo de cinta de algodón matizada en verde/agua

Hilo de rayón con brillos, sepia

Ovillo de cinta de rayón en topo, turquesa y azul cielo

Seed beads pequeñas en plata envejecida

Chenilla matizada en helecho claro/verde manzana

Hilos de coser coordinados con los linos agua y el algodón crema

Cierre magnético

Lentejuelas planas pequeñas agua

Botón antiguo grande, dorado

Equipo
Patrón 5 (ver página 139)
Tijeras para tela

Alfileres largos de modista
Lápiz
Bastidor de bordar grande
Agujas de bordar de varios tamaños
Tijeras de bordar pequeñas
Aguja de enfilar fina
Aguja de zurcir
Regla
Plancha
Máquina de coser
Aguja de coser fina

Flores del bosque

1 ◄ **Ampliar el Patrón 5** en la proporción indicada y recortarlo para hacer una plantilla de papel. Prender la plantilla sobre el lino agua y dibujar el contorno, añadiendo 2 cm de margen para costura y por si encoge la tela. Retirar la plantilla. Con el lápiz, dibujar suavemente el motivo, guiándose por la fotografía principal. Colocar la tela en el bastidor (ver página 16). Con la lana verde oliva fuerte, bordar los tallos principales, incluidas las ramitas, con una bastilla. Bordar las hojitas pequeñas y la base de cada capullo de margarita con puntos rasos. Con la misma lana, bordar algunas hojas a punto de espinapez. Luego bordar el resto de las hojas, también a punto de espinapez, con las lanas helecho claro, verde manzana y verde hierba.

2 ► **Con lana verde manzana** y a punto de margarita, bordar las dos margaritas grandes y dos capullos. Coser una cuenta marrón chocolate en el centro de cada margarita con el hilo de coser fuerte.

3 ▲ **Con la cinta de algodón** matizada verde/agua bordar las flores pequeñas a punto de satén, dando tres o cuatro puntadas por pétalo. Coser en el centro de cada flor una perla verde.

4 ◄ **Con el rayón de brillos** en sepia y haciendo cadenetas sueltas, bordar hojitas en una parte del tallo. Rellenar las demás ramitas con hojas iguales, pero utilizando cintas de rayón en topo, turquesa y azul cielo. Coser una seed bead plata en la punta de cada hoja (ver detalle).

5 ◄ **Con lana** helecho claro, hacer los siete radios de la telaraña para las tres flores restantes. Con la aguja de zurcir y el hilo de chenilla, entretejer los radios hasta cubrirlos por completo.

6 ▲ **Retirar la tela del bastidor** y montar el bolso siguiendo las instrucciones del Bolso con base y embocadura con forma (ver páginas 36-37). Cuando esté terminado de montar el bolso, coser unas lentejuelas agua por el borde superior. Colocar una lentejuela, pinchar la aguja por el agujero del centro y dar una pequeña puntada por la capa superior de tela. Volver a pinchar en el agujero de la lentejuela y salir por donde primero salió la aguja. Coser así todas las lentejuelas (ver también paso 7 de Lavanda suave, página 51).

7 ▲ **Por último, coser** el botón antiguo decorativo en el centro, arriba del bolso.

Bolsos de verano

El verano se celebra con docenas de flores en una explosión de color y con tejidos suntuosos, cortesía de mi colección de temporada de bolsos bordados. Hay bolsos con grandes flores que destacan por sus colores vivos y los materiales con textura, y bolsos con delicadas flores bordadas con cintas o tela en tonos pastel. Quizá se necesite un bolso grande y alegre para las vacaciones, o un accesorio elegante y femenino para una fiesta, o simplemente un bolso para diario que combine con todo y tenga un toque especial.

Les roses

PUNTOS EMPLEADOS
- **Punto de margarita**
- **Punto de espinapez**

Les roses se inspira directamente en un precioso libro de Pierre-Joseph Redouté, cuyas magníficas ilustraciones de flores y plantas son una inagotable fuente de inspiración para bordados y aplicaciones. Retorciendo y cosiendo unas tiras de dupión de seda en rosa pálido formé unas flores elegantes, con una textura suave que complementaran las hojas bordadas en algodón color peltre claro y unas margaritas rosa pálido bordadas con cinta de organdí.

Materiales

45 × 35 cm de tela de lino blanco, para el frente del bolso

45 × 35 cm de tela de lino crudo neutro, para el dorso del bolso

90 × 35 cm de entretela tejida, fuerte y gruesa, para el bolso

35 × 12 cm de tela de lino crudo neutro, para las asas

35 × 12 cm de entretela de coser mediana, para las asas

38 × 24 cm de tela de lino crudo neutro, para la vista

38 × 24 cm de entretela de coser mediana, para la vista

45 × 50 cm de tela de forro de algodón rosa fuerte

28 × 10 cm de bucarán grueso, para la base

50 × 50 cm de dupión de seda rosa pálido

Hilo de coser coordinado con las telas de lino blanco y crudo, con el forro rosa fuerte y el dupión rosa pálido

250 cm de cinta de organdí de 1 cm de ancho en rosa pálido

Hilo de coser fuerte de color neutro

Cuentas nacaradas color champán

Seed beads en plata envejecida

Ovillo de algodón para bordar, peltre claro

Lentejuelas pequeñas rosa nacarado

Lentejuelas planas rosa claro apagado

Cierre magnético

Equipo

Patrón 5 (ver página 139)

Tijeras para tela

Alfileres largos de modista

Lápiz

Bastidor de bordar grande

Tijeras de bordar

Máquina de coser

Agujas de bordar de varios tamaños

Aguja de coser fina

Aguja de enfilar

Regla

Plancha

Les roses

1 **Ampliar el Patrón 5** en la proporción indicada y recortarlo para hacer una plantilla de papel. Prender la plantilla sobre el lino blanco y dibujar el contorno, añadiendo 2 cm de margen para costura y por si encoge la tela. Retirar la plantilla. Con el lápiz, dibujar suavemente el motivo guiándose por la fotografía principal, indicando las rosas con un círculo.

2 ▲ **Desgarrar el dupión** rosa pálido haciendo tiras, cada una de unos 5 × 50 cm. Quitar los hilos sueltos de las tiras para que los cantos queden ligeramente deshilados.

3 ▲ **Doblar un extremo** de cada tira por la mitad y de nuevo por la mitad y prenderlo sobre el borde exterior de uno de los círculos dibujados para las rosas. Empezar a retorcer suavemente la tira, enrollándola sobre el círculo y prendiéndola en su sitio conforme se trabaja. Seguir en espiral, haciendo círculos que monten ligeramente sobre el anterior, enrollando la tira hacia el centro de la flor.

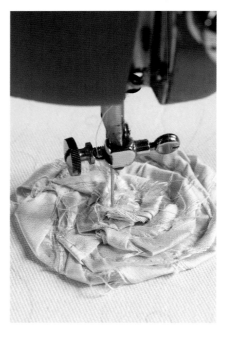

5 ◄ **Colocar la tela** en el bastidor, comprobando que queda a ras de la parte inferior del aro, no de la superior como es habitual. Quitar el prensatelas de la máquina de coser o poner uno de bordado en movimiento libre, lo que permita la máquina. Seleccionar un punto recto y bajar los dientes de arrastre (en el manual de la máquina se indica cómo hacerlo). Poner el bastidor debajo de la aguja de modo que la tela apoye sobre la placa de la máquina. Empezando por el borde exterior, coser la primera rosa sobre el lino, moviendo despacio el bastidor en espiral hasta que la costura llegue al centro de la flor. Coser todas las rosas de este modo.

4 ▲ **Al llegar al centro** de la flor, cortar lo que sobre de la tira y remeter el extremo, sujetándolo con un alfiler. Tratar de retorcer la tela un poco más al acercarse al centro para lograr un efecto de rosa natural.

6 ▲ **Retirar la tela** del bastidor y volver a colocarla en él del modo habitual (ver página 16). Con la cinta de organdí rosa pálido, bordar las demás flores a punto de margarita.

7 ▲ **Con el hilo de coser** fuerte, coser una cuenta nacarada en el centro de cada margarita para darles detalle. Poner un anillo de seed beads plateadas alrededor de cada perla, cosiendo las cuentas de dos en dos.

8 ▲ **Con la cinta** peltre claro, bordar las hojas a punto de espinapez.

9 ▲ **Siguiendo el paso 7** de Lavanda suave (ver página 51), coser las lentejuelas planas y nacaradas, salpicándolas por el motivo donde más bonitas queden.

10 ▲ **Retirar la tela** del bastidor y montar el bolso siguiendo las instrucciones del Bolso con base y embocadura con forma (ver páginas 36-37). Para terminar, coser una hilera de lentejuelas planas rosa pálido por el borde superior del bolso.

Rojo pasión

PUNTOS EMPLEADOS
- **Punto de satén**
- **Punto de nudo**
- **Punto de margarita**
- **Punto de espinapez**

Este bolso grande es perfecto para combinar con cualquier vestimenta, de diario o elegante, en un caluroso día de verano. El fino tul que he elegido para las flores bordadas extra grandes destaca sobre el vibrante color rojo fuego del lino con textura. El bolso se remata con una embocadura de lino marrón chocolate intenso y con un gran botón rosa.

Materiales

55 x 60 cm de tela de lino rojo con textura, para el bolso

55 × 60 cm de entretela tejida fuerte y gruesa, para el bolso

35 × 32 cm de tela de lino marrón chocolate, para la banda contrastada de la embocadura

35 × 32 cm de entretela de coser gruesa, para la banda contrastada

35 × 12 cm de tela de lino marrón chocolate, para las asas

35 × 12 cm de entretela de coser mediana, para las asas

55 × 60 cm de tela de algodón melocotón, para el forro

10 × 36 cm de bucarán grueso, para la base

Tul fino crudo, cortado en tiras largas de unos 4 cm de ancho

Lana gruesa en berenjena oscuro y rosa chicle

Dos botones de camisa en nácar

Hilo de coser fuerte de color neutro

Cuentas nacaradas

Ovillo de cinta de algodón lila y oliva claro

Lentejuelas rosa de té y lila

Hilos de coser coordinados con los linos rojo y marrón y con el forro melocotón

Cierre magnético

Un botón grande rosa

Equipo

Patrón 6 (ver página 140)

Tijeras para tela

Alfileres largos de modista

Lápiz

Bastidor de bordar grande

Aguja de zurcir grande

Tijeras de bordar

Agujas de bordar de varios tamaños

Aguja de coser fina

Aguja de enfilar

Regla

Plancha

Máquina de coser

Rojo pasión

1 ▶ **Ampliar el Patrón 6** en la proporción indicada y cortar la sección principal para hacer una plantilla de papel. Prender la plantilla sobre la tela de lino rojo y dibujar el contorno, dejando un margen de 2 cm para costuras y por si encoge la tela. Retirar la plantilla. Con el lápiz, dibujar suavemente el motivo guiándose por la fotografía principal. Colocar la tela en el bastidor (ver página 16). Con la aguja de zurcir grande y las tiras de tul, bordar las flores grandes a punto de satén.

2 ▲ **Con la lana color berenjena,** bordar un anillo de puntos de nudo bien juntos por el borde del centro de la flor.

3 ▲ **Terminar las flores** cosiendo un botón de camisa en el centro de cada una.

4 ▲ **Con lana de color** rosa
chicle, bordar las flores más
pequeñas a punto de margarita.

5 ▶ **Coser una cuenta nacarada**
en el centro de cada margarita.
Bordar las flores pequeñas con lana
lila y coser en el centro una lentejuela.
Coser más lentejuelas, salpicándolas
sobre el lino rojo donde mejor queden.

6 ▲ **Con la cinta verde** oliva, bordar todas las hojas a punto de espinapez
para completar el motivo.

7 ▲ **Retirar la tela** del bastidor y
montar el bolso siguiendo las
instrucciones del Bolso con base y
pliegues arriba (ver páginas 38-39).
Para terminar, coser el botón rosa en
el centro de arriba del bolso.

Flores silvestres

PUNTOS EMPLEADOS
- **Punto de margarita**
- **Bastilla**
- **Punto de espinapez**
- **Punto de satén**

Este bolso presenta una selección de pequeñas flores silvestres bordadas con lanas finas e hilos, incluidos mohair, fibras metalizadas y lanas y algodones delicados. Unas lentejuelas metálicas, un galón de terciopelo verde vivo y un gran botón de nácar completan el conjunto. La mayoría de los hilos de bordar que he utilizado son restos que he ido guardando y coleccionando con el tiempo, esperando una labor especial en la que aprovecharlos.

Materiales

40 × 60 cm de tela de lino turquesa, para el bolso

40 × 60 cm de entretela tejida, fuerte y gruesa, para el bolso

30 × 12 cm de tela de lino azul real, para las asas

30 × 12 cm de entretela de coser mediana, para las asas

35 × 14 cm de tela de lino turquesa, para la vista

35 × 14 cm de entretela de coser gruesa, para la vista

40 × 50 cm de tela de algodón azul real, para el forro

Ovillo de mohair azul pálido

Hilo de coser fuerte de color neutro

Cuentas nacaradas en verde y marrón metalizado

Hilo de bordar de algodón en azul vivo

Lana arrugada en amarillo claro

Hilo metalizado con brillos verde/oro

Ovillo de cinta de algodón tejida en melocotón/marrón

Ovillo de algodón matizado azul/verde

Lana fina azul turquesa

Varias lanas finas en verde pálido, intermedio y con brillos

Seed beads doradas y plateadas

Hilos de coser coordinados con el lino turquesa y azul real, con el forro y con la cinta de terciopelo verde

Una tira de 100 cm de lentejuelas en azul pavo

70 cm de cinta estrecha de terciopelo verde vivo

Cierre magnético

Botón de nácar grande cuadrado

Equipo

Patrón 2 (ver página 136)

Tijeras para tela

Alfileres largos de modista

Lápiz

Bastidor de bordar grande

Agujas de bordar de varios tamaños

Tijeras de bordar

Aguja de enfilar fina

Regla

Plancha

Máquina de coser

Aguja de coser fina

Flores silvestres

1 ◄ **Ampliar el Patrón 2** en la proporción indicada y recortarlo para hacer una plantilla de papel. Prender la plantilla sobre la tela de lino turquesa y dibujar el contorno, dejando un margen de 2 cm para costuras y por si encoge la tela. Retirar la plantilla. Con el lápiz, dibujar suavemente el motivo guiándose por la fotografía principal. Colocar la tela en el bastidor (ver página 16). Con el hilo de mohair azul pálido, bordar tres flores a punto de margarita. Coser una cuenta verde nacarada en el centro de cada una. Con el hilo azul fuerte, bordar los tallos con una bastilla y las hojas a punto de espinapez.

2 ▲ **También a punto de margarita** bordar las flores con la lana arrugada amarillo claro. Hacer sólo cinco o seis pétalos en un par de las flores de arriba para que queden unos capullos naturales. Bordar los tallos y las hojas como en el paso 1 y las bases de los capullos con cuatro o cinco puntos de satén.

3 ▶ **Bordar las demás** flores pequeñas a punto de margarita con los hilos metalizados y las cintas de algodón matizadas. Bordar los tallos, las hojas y las bases como antes, con los hilos verdes.

4 ▲ **Coser seed beads** oro o plata en los centros de todas las flores abiertas. Retirar la tela del bastidor.

5 ▲ **Medir unos 3 cm** desde el borde inferior del frente del bolso y dibujar con la regla unas suaves líneas horizontales a lápiz. Colocar una tira de lentejuelas encima de las líneas y coser un extremo en su sitio con unas puntadas a mano. Comprobar que todas las lentejuelas se solapan en el mismo sentido en que pasa el prensatelas. Si el prensatelas pasa a "contrapelo" cuesta más trabajo coserlas. Seleccionar en la máquina un punto recto mediano. Sujetando la tira de lentejuelas tirante por delante del prensatelas, coserla despacio. Las lentejuelas pequeñas son resbaladizas y hay que tener cuidado de que no patine la aguja.

6 ◄ **Tomando como referencia** el galón de lentejuelas, prender un trozo de cinta de terciopelo por debajo de él. Con un hilo a tono, coser un lado de la cinta. Empezando por el mismo extremo, coser el otro lado de la cinta. Repetir los pasos 5-6 arriba del bolso, cosiendo una tira de lentejuelas a cada lado de la cinta de terciopelo.

7 ◄ **Montar el bolso** siguiendo las instrucciones del Bolso mediano con pinzas y asas forradas (ver páginas 32-33), pero sustituyendo las asas forradas por las dobladas de la página 30. Para terminar, coser el botón de nácar en el centro de arriba del bolso.

Jardín fresco

Este elegante bolso de verano en lino azul marino oscuro es sencillamente exquisito. Incorpora delicadas rosas, claveles y margaritas bordados con cintas de seda de vivos colores rojo, azul hielo, amarillo dorado y rosa flamenco, logrando un marcado efecto de relieve. Se completa con diminutas flores de milenrama bordadas a punto de nudo y con seed beads color marfil y lentejuelas. El bolso es una labor perfecta para un experto en bordados o un reto excelente para un principiante.

PUNTOS EMPLEADOS

- **Bastilla**
- **Cadeneta suelta**
- **Punto de nudo**
- **Pespunte**

Materiales

40 × 60 cm de tela de lino azul marino oscuro, para el bolso

40 × 60 cm de entretela tejida, fuerte y gruesa, para el bolso

35 × 12 cm de tela de lino azul marino oscuro, para las asas

35 × 12 cm de entretela de coser mediana, para las asas

35 × 14 cm de tela de lino azul marino, para la vista

35 × 14 cm de entretela de coser mediana, para la vista

40 × 50 cm de tela de algodón, para el forro, en rojo amapola

Cinta de seda de 7 mm de ancho en rojo fuego, azul hielo y verde oliva pálido

Hilo de coser fuerte de color neutro

Cuentas en forma de perla, marfil

Cinta de seda de 4 mm de ancho en amarillo dorado, amarillo pálido, rosa flamenco y lila pálido

Seed beads nacaradas, marfil

Lentejuelas metálicas cóncavas, coral

Cuentas de vidrio rosa pálido

Chenilla fina verde esmeralda

Ovillo de cinta de rayón brillante, marfil y amarillo luz del sol

Hilo de bordar verde aguacate y oliva

Hilos de coser coordinados con el lino azul marino y el forro rojo

Cierre magnético

Equipo

Patrón 2 (ver página 136)

Tijeras para tela

Alfileres largos de modista

Lápiz blanco

Bastidor de bordar grande

Tijeras de bordar pequeñas

Agujas de bordar de varios tamaños

Aguja de coser fina

Aguja de enfilar

Regla

Plancha

Máquina de coser

Jardín fresco

1 Ampliar el Patrón 2 en la proporción indicada y
recortarlo para hacer una plantilla de papel. Prender la
plantilla sobre el lino azul marino y dibujar el contorno,
dejando un margen de 2 cm para costura y por si encoge la
tela. Retirar la plantilla. Con el lápiz blanco, dibujar el
motivo, guiándose por la fotografía principal. Colocar la tela
en el bastidor (ver página 16).

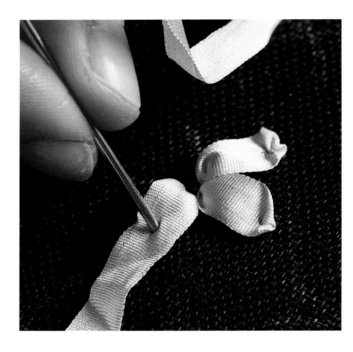

2 ▶ Para bordar las rosas, cortar un trozo de cinta de
seda azul hielo. Enhebrar un extremo en una aguja y
hacer un nudo en el otro extremo. Salir con la aguja por el
centro de la flor. Poner la cinta plana y pinchar la aguja
hacia el revés por el centro de la cinta y por la tela,
formando una pequeña presilla. Tirar de la aguja y de la
cinta hasta que los bordes de la cinta empiecen a
enrollarse.

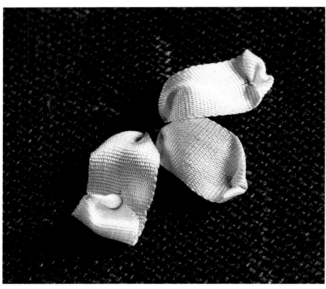

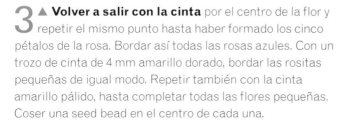

3 ▲ Volver a salir con la cinta por el centro de la flor y
repetir el mismo punto hasta haber formado los cinco
pétalos de la rosa. Bordar así todas las rosas azules. Con un
trozo de cinta de 4 mm amarillo dorado, bordar las rositas
pequeñas de igual modo. Repetir también con la cinta
amarillo pálido, hasta completar todas las flores pequeñas.
Coser una seed bead en el centro de cada una.

4 ▲ Con la cinta de seda lila pálido, bordar las
margaritas con la misma técnica, haciendo ahora más
pétalos en cada flor para formar margaritas. Basta con
nueve o diez pétalos. Bordar algunas margaritas con la
cinta rosa flamenco. Coser una lentejuela con una seed
bead encima en el centro de cada flor.

5 ▶ **Cortar unos 20 cm** de cinta de seda de 7 mm rojo
fuego. Hacer un nudo en una hebra de hilo de coser y,
empezando en un extremo de la cinta, pasar una bastilla a lo
largo de un borde.

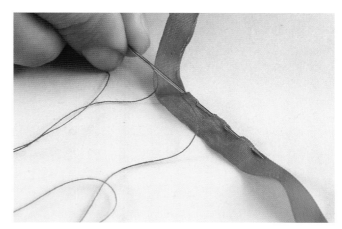

6 ▼ **En una aguja de bordar,** enhebrar la cinta y salir
con ella por la tela hasta el nudo, donde vaya a estar el
centro de la flor. Empezar a fruncir con cuidado la cinta en
redondo, tirando del hilo (ver detalle).

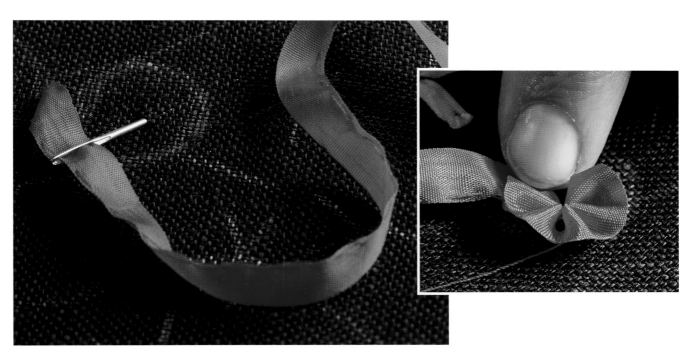

7 ◀ **Con otra hebra de hilo**
empezar a coser la cinta sobre el
lino con puntaditas pequeñas por el
borde fruncido. Ir frunciendo poco a
poco más cinta y poniéndola en
redondo, cosiendo el borde al mismo
tiempo. Cuando se haya formado la
flor, cortar la cinta sobrante y pasar
con cuidado el extremo por la tela,
rematándola por el revés con unas
puntadas. Repetir el proceso para los
demás claveles rojos y marfil.

▶

Jardín fresco

8 ▶ **Con cinta verde oliva pálido** bordar unas hojas en la base de los tallos, utilizando la misma técnica que para los pétalos de las flores azul hielo. Con la chenilla verde esmeralda, bordar unas cuantas hojas a punto de cadeneta suelta, donde sean necesarias.

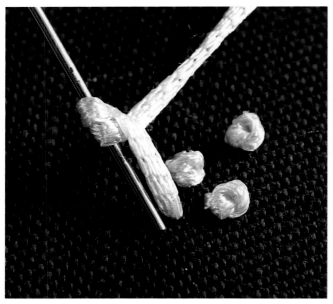

9 ▲ **Con el hilo de rayón** marfil, bordar algunas de las delicadas flores de milenrama haciendo pequeños puntos de nudo. Bordar el resto de la milenrama con rayón amarillo pálido.

10 ▲ **Con unas hebras de la madeja** de bordar verde oliva, bordar los finos tallos a pespunte. Hacer unas cuantas ramitas más pequeñas en la base de cada flor de milenrama, y varios tallos pequeños bajo las flores de nudo. Bordar los demás tallos con hilo verde oliva y verde aguacate.

11 ◀ **Empezando en el extremo** de un tallo vacío, coser un par de seed beads marfil con el hilo de coser fuerte. Trabajar hacia abajo del tallo, cosiendo cuentas inclinadas hacia arriba y aumentando el número de cuentas en las ramas del tallo. Cuando esté completo el bordado, retirar la tela del bastidor y montar el bolso siguiendo las instrucciones del Bolso mediano con pinzas y asas forradas (ver páginas 32-33), pero sustituyendo las asas por las dobladas de la página 30. Atar una cinta amarilla con un lazo alrededor de un asa como toque final.

Variación

Esta versión del bolso Jardín fresco se trabaja en colores suaves, femeninos, sobre una tela crema, para lograr un aire vintage. Se pueden elegir cintas de colores que realcen un traje en particular o en los tonos que más gusten.

Chic veraniego

PUNTOS EMPLEADOS
- **Punto de espinapez**
- **Punto de satén**

Este espléndido lino en un marrón chocolate intenso lo encontré en una tienda de tejidos y me enamoré de él a primera vista. Ya tenía los hilos de algodón matizados en rosa y en verde y pensé que eran el complemento perfecto. Bordé grandes flores de verano con los hilos y utilicé una seda cruda de color neutro para la banda de la embocadura, terminando con unas lentejuelas marrones y una cinta dorada para lograr este modelo sencillo y llamativo al mismo tiempo.

Materiales

40 × 50 cm de tela de lino marrón chocolate, para el bolso

40 × 50 cm de entretela tejida, fuerte y gruesa, para el bolso

35 × 24 cm de tela de seda cruda, color crudo, para la embocadura contrastada

30 × 12 cm de tela de lino grueso verde oliva, para las asas

30 × 12 cm de entretela de coser mediana, para las asas

35 × 12 cm de tela de seda cruda, en color crudo, para la vista

35 × 12 cm de entretela de coser gruesa, para la vista

40 × 50 cm de tela de algodón, para el forro, color melocotón

Ovillo de cinta de algodón matizada verde/oro y rosa

Hilo de coser fuerte de color oscuro

Cuentas grandes doradas

Cuentas pequeñas color oro viejo

Ovillo de cinta de algodón rosa

Lentejuelas cóncavas y cuentas pequeñas en marrón envejecido

Hilos de coser coordinados con el lino marrón, la cinta dorada, el lino verde oliva, la seda cruda y el forro melocotón

Unos 45 cm de cinta dorada

Cierre magnético

Equipo

Patrón 2 (ver página 136)

Tijeras para tela

Alfileres largos de modista

Lápiz blanco de modista

Bastidor de bordar

Agujas de bordar de varios tamaños

Tijeras de bordar pequeñas

Aguja de enfilar fina

Regla

Plancha

Máquina de coser

Chic veraniego

1 ▶ Ampliar el Patrón 2 en la proporción indicada y recortarlo para hacer una plantilla de papel. Prender la plantilla sobre el lino marrón y dibujar el contorno, añadiendo 2 cm de margen para las costuras y por si encoge la tela. Retirar la plantilla. Con el lápiz blanco, dibujar el motivo guiándose por la fotografía principal. Colocar la tela en el bastidor (ver página 16). Con una aguja de ojo grande y la cinta verde matizada, bordar las hojas a punto de espinapez.

2 ▲ Bordar las flores grandes a punto de satén, con la cinta matizada rosa. Con hilo de coser fuerte, coser una cuenta dorada grande en el centro de cada flor.

3 ▲ Con el hilo de coser fuerte también, coser un anillo de cuentas pequeñitas doradas alrededor de la cuenta grande. Coserlas de dos en dos.

4 ▶ **Con el hilo de algodón rosa,** bordar las flores pequeñas a punto de satén, dando tres puntadas para cada pétalo. Coser una cuenta marrón envejecido en el centro de cada flor. Siguiendo el paso 7 de Lavanda suave (ver página 51), coser las lentejuelas salpicadas por dentro y por fuera del motivo, donde se crea que son necesarias.

Lentejuelas

El número de lentejuelas que se cosan y el lugar donde se sitúen depende de cada uno. Se colocan las lentejuelas en el motivo, se desplazan hasta dar con la colocación más bonita y luego se cosen.

5 ◀ **Retirar la tela** del bastidor y coser la sección bordada con la banda de la embocadura siguiendo los pasos 1-5 del Bolso mediano con pinzas y asas forradas (ver páginas 32-33), pero sustituyendo las asas por las dobladas de la página 30. Prender la cinta dorada sobre el lino marrón, 5 mm por debajo de la banda contrastada y paralela a ella. Hacer a máquina con hilo coordinado una costura por el borde de la cinta. Empezando por el mismo extremo, hacer una costura por el otro borde. Terminar de montar el bolso siguiendo las instrucciones.

Bolsos de otoño

Para mi colección de otoño he recurrido a colores vivos y vibrantes y a telas cálidas —como lanas y suntuosos terciopelos— para crear unos bolsos estética y emocionalmente acordes con la estación. La variedad de estilos se adapta a las distintas necesidades y ocasiones. Elegir un clutch lleno de glamour para las fiestas de noche, un espacioso bolso de colgar al hombro para llevar muchas cosas o uno de los dos modelos diferentes de bolsos con asas, perfectos para el día a día.

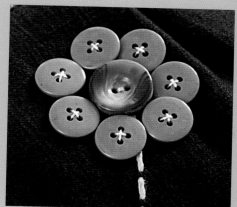

Margaritas

PUNTOS EMPLEADOS
- **Punto de margarita**
- **Punto raso**
- **Cadeneta suelta**
- **Punto de espinapez**

Este sencillo bolso, sin complicaciones, se borda con lana para dibujar unas margaritas extra grandes. El bordado en colores contrastados y vivos magenta, lila y arena destaca sobre la tela de lana en un intenso color rojo y se realza con flores de menor tamaño en fucsia, con hojas en tono verde oliva y con unas ramitas de lavanda. Una banda en la embocadura en un rico marrón chocolate, los botones del centro de las flores y un botón grande arriba completan el conjunto.

Materiales
40 × 50 cm de tela de lana rojo intenso, para el bolso

40 × 50 cm de entretela tejida, fuerte y gruesa, para el bolso

34 × 40 cm de terciopelo marrón chocolate, para la embocadura y la vista

35 × 12 cm de tela de lana rojo intenso, para las asas

35 × 12 cm de entretela de coser mediana, para las asas

34 × 40 cm de entretela de coser gruesa, para la vista

40 × 50 cm de raso marrón chocolate, para el forro

Lana gruesa magenta, lila y arena

Hilo de algodón retorcido fucsia

Chenilla lavanda

Lanas verde oliva vivo y crema

Hilo de coser fuerte rojo intenso

Tres botones verde oliva

Hilos de coser coordinados con las telas rojo intenso, marrón chocolate y con el forro

Cierre magnético

Un botón extra grande color asta

Equipo
Patrón 4 (ver página 138)

Tijeras para tela

Alfileres largos de modista

Lápiz

Bastidor de bordar grande

Agujas de bordar de varios tamaños, incluida una con ojo grande

Tijeras de bordar

Aguja de coser fina

Regla

Plancha

Máquina de coser

Margaritas

1 ▼ **Ampliar el Patrón 4** en la proporción indicada y recortar la sección del bolso para hacer una plantilla de papel. Prender la plantilla sobre la tela de lana roja y dibujar el contorno, añadiendo 2 cm de margen para las costuras y por si encoge la tela. Retirar la plantilla. Con el lápiz, dibujar suavemente el motivo, guiándose por la fotografía principal. Dibujar unos círculos para indicar el borde exterior de las margaritas. Colocar la tela en el bastidor (ver página 16). Con la lana gruesa lila y aguja de bordar con ojo grande, empezar por bordar la flor grande a punto de margarita. Con ese mismo punto, bordar las otras dos flores con lana gruesa magenta y arena.

Lanas de tejer

La popularidad de las labores de punto ha hecho que se fabrique una gran variedad de tipos de lana. Muchas de las más finas son excelentes para bordar, pero si se desea utilizar una lana gruesa, se necesita una tela que permita pasar la hebra con facilidad. Probar la lana sobre una muestra de tela antes de empezar un proyecto.

2 ▲ **Con el algodón fucsia,** bordar con puntos rasos las flores más pequeñas. Empezando en el borde exterior de la flor, avanzar el círculo hasta rellenarla. Con la chenilla lavanda, bordar las ramitas de hojas con cadenetas sueltas. Empezando por la punta de la rama, bordar las hojas en parejas, hacia abajo del tallo. Para que quede un dibujo más sencillo no se dibuja el tallo, porque las hojitas ya lo sugieren.

3 ▶ **Con lana verde oliva vivo,** bordar las hojas a punto de espinapez, dando las puntadas muy juntas para que las hojas queden ligeramente en relieve. Para añadirles detalle, dar tres puntos rasos en la base de cada una con lana crema. Hacer el punto del centro largo y uno más corto a cada lado.

4 ▼ **Coser un botón oliva claro** en el centro de cada margarita, con hilo de coser fuerte rojo. Si los botones son de cuatro agujeros como éstos, coserlos en cruz.

5 ▲ **Retirar la tela** del bastidor y montar el bolso según las instrucciones del Bolso mediano con pliegues arriba (ver páginas 34-35). Para terminar, coser el botón grande de color asta en el centro del bolso, arriba, con hilo de coser rojo.

Flores vintage

Este bolso está realizado en tela de lana del más oscuro color marrón sepia y con una banda de la misma tela en color arena. Con su profusión de flores bordadas y sus hojas elaboradas en tonos crema, marfil y beige —trabajadas con distintos puntos y hebras de lana—, este preciso bolso adquiere un aire vintage.

PUNTOS EMPLEADOS

- **Punto de rosa**
- **Punto de margarita**
- **Cadeneta suelta**

Materiales

40 × 50 cm de tela de lana marrón sepia intenso, para el bolso

40 × 60 cm de entretela tejida, fuerte y gruesa, para el bolso

35 × 14 cm de tela de lana color arena, para la banda contrastada

35 × 10 cm de tela de lana marrón sepia intenso, para las asas

35 × 10 cm de entretela de coser mediana, para las asas

35 × 10 cm de forro de raso oro viejo, para las asas

35 × 14 cm de tela de lana marrón sepia intenso, para la vista

35 × 14 cm de entretela de coser gruesa, para la vista

40 × 50 cm de forro de raso oro viejo, para el bolso

Selección de lanas en distintos tonos de crema, marfil y beige

Hilo de coser fuerte en marrón

Cuentas y lentejuelas en marrón chocolate intenso

Lana verde oliva pálido

Hilos de coser coordinados con las telas marrón sepia y arena

Cierre magnético

Equipo

Patrón 2 (ver página 136)

Tijeras para tela

Alfileres largos de modista

Lápiz blanco

Bastidor de bordar grande

Agujas de bordar de varios tamaños

Tijeras de bordar

Aguja de enfilar

Plancha

Regla

Tijeras de piquillo

Máquina de coser

Flores vintage

1 ▶ **Ampliar el Patrón 2** en la proporción indicada y cortar la sección inferior por la línea discontinua para hacer una plantilla de papel. Prender la plantilla sobre la lana marrón sepia y dibujar el contorno añadiendo un margen de 2 cm para costuras y por si encoge la tela. Retirar la plantilla. Con el lápiz blanco, dibujar suavemente el motivo guiándose por la fotografía principal. Como es un bordado con mucho detalle, no hay necesidad de dibujar cada ramita porque luego se pueden añadir entre las flores bordadas. Colocar la tela en el bastidor (ver página 16). Empezar por bordar las flores a punto de rosa con la hebra de lana en doble, en uno de los tonos crema.

3 ▼ **Con la lana de color crema más claro,** bordar las flores pequeñas que figuran en los extremos del motivo, a la izquierda y a la derecha. Dar las puntadas muy juntas, haciendo cinco pétalos por flor. Coser, en el centro de cada una, una cuenta marrón chocolate con hilo de coser fuerte.

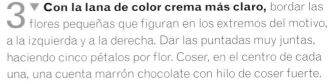

2 ▲ **Bordar luego las margaritas grandes** a punto de margarita. Utilizar las lanas crema, marfil y beige por turno para añadir una sutil variedad de matices al bordado.

4 ▼ De nuevo con hilo de coser fuerte, coser una lentejuela en el centro de cada margarita. Coser unas cuantas lentejuelas más salpicadas por el bolso como se prefiera.

5 ▲ Cuando estén bordadas todas las flores, bordar las ramitas con lana verde oliva pálido y a cadeneta suelta. Empezando por el extremo de la ramita, hacer una sola hoja y luego hacer las hojas por parejas. Variar haciendo alguna vez tres hojas o cinco. Rellenar los espacios entre las flores y por el borde exterior de la zona bordada.

6 ▶ Retirar la tela del bastidor y montar el bolso siguiendo las instrucciones del Bolso mediano con pinzas y asas forradas (ver páginas 32-33), aunque, para añadir detalles, sustituir los pasos 4-5 por el siguiente proceso: con tijeras de piquillo, cortar el borde superior del frente bordado y de la sección inferior del dorso. Poniendo las telas con el derecho hacia arriba, colocar el borde a picos sobre el borde inferior de la banda color arena de la embocadura, solapándolo 2 cm. Con un hilo coordinado, coser por encima las piezas, justo por debajo de la línea de picos. Para terminar, coser las asas.

Flores de otoño

PUNTOS EMPLEADOS
- **Punto de ojal**
- **Punto de cadeneta**
- **Punto raso**
- **Punto de espinapez**
- **Bastilla**

Con la banda de color violeta fuerte y un solo botón grande de coco, este magnífico bolso de lana crema para colgar del hombro resulta tan exquisito como práctico. Para bordar las flores grandes se emplea punto de ojal en lana merina carmín. Además de las grandes hojas perfiladas en sepia fuerte y marrón café y ramitas en tonos calabaza rojiza, este bordado de rico colorido se complementa con grandes cuentas magenta y con cuentas y lentejuelas rosa viejo, oro y marrón.

Materiales

55 × 60 cm de tela de lana gruesa en crema, para el bolso

55 × 60 cm de entretela tejida, fuerte y gruesa, para el bolso

35 × 16 cm de terciopelo grueso violeta, para la banda contrastada de la embocadura

12 × 66 cm de tela de lana camel, para las asas

12 × 66 cm de entretela de coser mediana, para las asas

35 × 16 cm de terciopelo grueso violeta, para la vista

35 × 32 cm de entretela de coser gruesa, para la vista

55 × 60 cm de tela de raso fucsia vivo, para el forro

Lana merina en carmín apagado

Lana fina en sepia intenso y marrón café

Lana en dos tonos de calabaza rojiza

Hilo de coser fuerte en marrón

Selección de lentejuelas de varios tamaños en marrón bellota envejecido, rosa pálido y marrón chocolate

Cuentas grandes redondas, magenta metalizado

Cuentas pequeñas oro envejecido

Hilos de coser coordinados con las telas de lana crema y camel, el terciopelo violeta y el forro rosa fucsia

Cierre magnético

Botón extra grande de coco

Equipo

Patrón 6 (ver página 140)

Tijeras para tela

Alfileres largos de modista

Lápiz

Bastidor de bordar grande

Agujas de bordar de varios tamaños

Tijeras de bordar pequeñas

Aguja de enfilar

Regla

Plancha

Máquina de coser

Aguja de coser fina

Flores de otoño

2 ▲ **Con la lana fina** de color sepia intenso, bordar los perfiles de algunas de las hojas grandes a punto de cadeneta. Bordar también la línea central de las hojas.

1 ▲ **Ampliar el Patrón 6** en la proporción indicada y cortar la sección principal del bolso para hacer una plantilla de papel. Prender la plantilla sobre la tela de lana crema y dibujar el contorno añadiendo un margen de 2 cm para costuras y por si encoge la tela. Retirar el patrón. Con el lápiz, dibujar suavemente el motivo, guiándose por la fotografía principal. Colocar la tela en el bastidor (ver página 16). Con la lana carmín apagado, bordar las flores grandes a punto de ojal. Trabajar en redondo, siguiendo la curva exterior de los pétalos para darles forma.

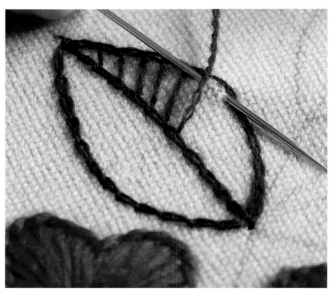

3 ▲ **Para añadir detalle** a esas hojas, dar unos puntos rasos inclinados a cada lado de la línea central. Bordar las otras hojas grandes igual, pero con lana fina marrón café.

4 ◄ **Con el tono más claro** de calabaza rojiza y empezando en la punta de una de las ramas más pequeñas, bordar las hojas a punto de espinapez. Trabajar hacia abajo del tallo, bordando las dos o tres últimas hojas de la base con el tono más oscuro de calabaza rojiza. Para añadir detalle a las hojas, dar unos puntos rasos con lana de color sepia intenso en la base de cada hoja. Con la misma lana, dibujar con una bastilla los tallos de esas ramitas.

5 ► **Con hilo de coser fuerte,** coser unas lentejuelas salpicadas sobre la tela, donde se prefiera.

6 ▲ **Coser una cuenta magenta** en el centro de cada flor. Lo mismo que en el paso 7 de Les roses (ver página 71), coser un anillo de cuentas oro envejecido alrededor de la cuenta magenta, poniendo las cuentas de dos en dos.

7 ▲ **Retirar la tela** del bastidor y montar el bolso siguiendo las instrucciones del Bolso con base y pliegues arriba (ver páginas 38-39). Para terminar, coser el botón extra grande de coco en el centro de la banda violeta, en el frente del bolso.

Verde viña

PUNTOS EMPLEADOS
- **Punto de espinapez**
- **Bastilla**
- **Punto raso**

Este clutch realizado en lino verde helecho vivo salta a la vista por su glamour. Las caprichosas flores de estilo margarita están hechas de piedras color ámbar con talla diamante y de cuentas de madera cónicas en marrón canela y verde hierba. Se realzan con cuentas doradas y con una guirnalda de hojas bordadas en marrón cuero y arena fuerte. Un borde de lentejuelas planas en dorado brillante y una borla de cuentas oro envejecido y ámbar, con bolas de madera verde lima, completan este sofisticado bolso.

Materiales
55 × 38 cm de tela de lino verde helecho vivo, para el bolso

55 × 38 cm de entretela de coser gruesa, para el bolso

55 × 38 cm de tela de algodón beige, para el forro

38 × 20 cm de entretela de coser gruesa, para la solapa del bolso

Piedras con talla diamante, una grande ovalada y dos más pequeñas redondas, color ámbar

Hilo de coser fuerte marrón

Cuentas pequeñas oro viejo

Cuentas cónicas de madera marrón canela y verde hierba, unas veinte de cada

Lentejuelas pequeñitas doradas

Hilo de lana marrón cuero y arena fuerte

Cordoncillo de rayón metalizado dorado

Lentejuelas pequeñas cóncavas doradas

Lentejuelas planas doradas

Selección de cuentas ámbar y doradas

Dos grandes bolas de madera verde lima

Hilos de coser coordinados con el lino verde helecho y el forro beige

Cierre magnético

Equipo
Patrón 7 (ver página 141)

Tijeras para tela

Alfileres largos de modista

Lápiz

Bastidor de bordar grande

Aguja de coser

Tijeras de bordar pequeñas

Aguja de bordar

Aguja de enfilar

Regla

Plancha

Máquina de coser

Verde viña

1 ◄ **Ampliar el Patrón 7** en la proporción indicada y recortarlo para hacer una plantilla de papel. Prender la plantilla sobre la tela de lino verde helecho y dibujar el contorno, añadiendo un margen de 2 cm para las costuras y por si encoge la tela. Colocar las piedras ámbar sobre la solapa, donde se vayan a situar las flores, con la piedra grande ovalada en el centro de la solapa y las otras dos a igual distancia a cada lado. Comprobar que queda espacio suficiente para los pétalos de madera, los detalles de cuentas doradas y el borde de lentejuelas. Marcar suavemente la posición de las piedras a lápiz y dibujar la guirnalda de hojas. Colocar la tela en el bastidor (ver página 16). Con el hilo de coser fuerte, coser las piedras ámbar en su sitio. Coser un anillo de cuentas oro viejo alrededor de las piedras, cosiéndolas de dos en dos.

2 ▲ **Con el hilo de coser** fuerte, coser las cuentas de madera marrón canela y verde hierba alrededor de cada piedra, alternando los colores.

3 ▲ **Para añadir detalle** a las flores, coser una lentejuela pequeñita dorada en la punta de cada "pétalo". Salir con la aguja por el borde de la lentejuela y pincharla de vuelta por el agujero central. Repetir al otro lado de la lentejuela para afianzarla.

4 ▲ **Con la lana marrón** cuero y a punto de espinapez, empezando por la flor del centro, bordar algunas de las hojas.

5 ◄ **Con la misma lana,** dibujar los tallos de las hojas con una bastilla. Con el cordoncillo metalizado, dar tres puntos rasos en la base de cada hoja. Bordar las demás hojas con lana arena fuerte y hacerles también los detalles con el cordoncillo dorado.

6 ▼ **Para terminar el bordado** coser las lentejuelas cóncavas doradas por entre el bordado y alrededor de él.

7 ◄ **Retirar la tela** del bastidor y montar el bolso siguiendo las instrucciones del Clutch (ver páginas 40-41). Para terminar, coser una hilera de lentejuelas doradas por el borde de la solapa, siguiendo el paso 7 de Lavanda suave (ver página 51). Empezar en una esquina y seguir el trazado de la curva, cosiendo las lentejuelas juntas.

8 ◄ **Por último,** hacer el detalle del cierre enfilando las cuentas ámbar, unas cuentas oro viejo y las bolas de madera verde lima en un hilo de coser fuerte. Coserlas bien al borde de la solapa, formando dos pequeñas borlas.

Flores y botones

PUNTOS EMPLEADOS
- **Bastilla**
- **Punto de espinapez**
- **Punto raso**
- **Punto de nudo**

Este bonito bolso para el día está confeccionado en un suntuoso lino marrón canela con un borde verde kiwi apagado y asas crudas con textura. Los botones verde oliva pálido y azul pavo que he utilizado para formar las margaritas resaltan sobre el lino marrón. Este proyecto se completa con hojas bordadas y delicadas ramitas de botones transparentes y es una labor estupenda para iniciarse en el bordado.

Materiales

40 × 50 cm de tela de lino marrón canela oscuro, para el bolso

40 × 50 cm de entretela tejida, fuerte y gruesa, para el bolso

34 × 40 cm de tela de lino verde kiwi apagado, para la banda de la embocadura y la vista

35 × 12 cm de tela de lino crudo con textura, para las asas

35 × 12 cm de entretela de coser mediana, para las asas

34 × 40 cm de entretela de coser gruesa, para la vista

40 × 50 cm de tela de algodón crema, para el forro

Ovillo de cinta de algodón topo apagado

Lana marrón café y chocolate intenso

Hilo de bordar de algodón retorcido crema

Dos botones azul pavo

Catorce botones verde oliva

Veinte botones transparentes

Selección de hilos de coser coordinados con las telas marrón, verde, crudo y crema del forro

Cierre magnético

Botón grande azul pavo

Equipo

Patrón 4 (ver página 138)

Tijeras para tela

Alfileres largos de modista

Lápiz blanco

Bastidor de bordar grande

Agujas de bordar de varios tamaños

Tijeras de bordar

Regla

Plancha

Máquina de coser

Aguja de coser

Flores y botones

2 ▲ **Con el mismo hilo** bordar las tres hojas grandes a punto de espinapez. Con la lana marrón chocolate, dar tres puntos rasos en la base cada hoja, haciendo el de en medio algo más largo.

1 ▲ **Ampliar el Patrón 4** en la proporción indicada y cortar la sección principal del bolso para hacer una plantilla de papel. Prender la plantilla sobre el lino marrón canela y dibujar el contorno, añadiendo 2 cm de margen para costuras y por si encoge la tela. Retirar la plantilla. Con el lápiz blanco, dibujar suavemente el motivo, marcando unos puntos donde se vaya a coser el botón central de cada flor y guiándose por la fotografía principal. Colocar la tela en el bastidor (ver página 16). Con el hilo de algodón topo, dibujar los tallos de las flores y las hojas haciendo una bastilla.

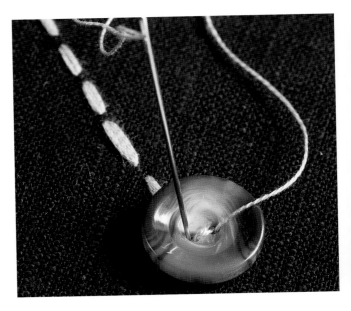

3 ▲ **Coser uno de los botones** azul pavo en el centro de las margaritas, utilizando el hilo retorcido.

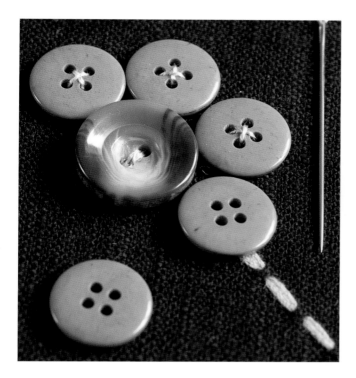

4 ▲ **Colocar siete botones verde oliva** alrededor de uno de los botones azules. Situarlos de modo que queden espaciados por igual. Con el hilo de bordar retorcido crema, coser cada botón con una simple cruz. Repetir con la otra margarita.

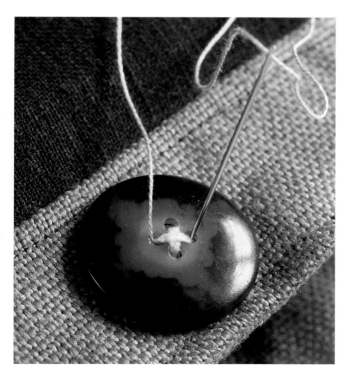

5 ▲ **Empezando en la punta** de cada ramita, coser un solo botón transparente con hilo crema. Coser los botones por parejas a cada lado del tallo, dejando un pequeño espacio en la base para que quede más natural la rama. Añadir detalle a las ramitas haciendo un punto de nudo con lana marrón café en el borde exterior de cada botón.

6 ◀ **Retirar la tela** del bastidor y montar el bolso siguiendo las instrucciones del Bolso mediano con pliegues arriba (ver páginas 34-35). Para terminar, coser el botón grande azul pavo en el centro arriba del frente del bolso.

Bolsos de invierno

Colores crudos y muchos detalles metálicos son las claves de mi colección de bolsos de invierno. Los elementos metálicos, ya se trate de bordados con hilos en color oro, cobre y bronce, o de trémulas lentejuelas cosidas, confieren a los bolsos un fabuloso aspecto de lujo. Y no hay por qué reservar estos bolsos únicamente para fiestas, también por el día resultan estupendos.

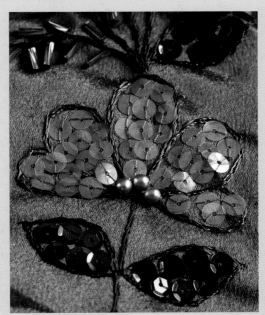

Resplandor del fuego

Este original bolso de lana naranja dorado y suave raso negro, es un accesorio de gran prestancia. Una plétora de rosas en relieve bordadas en organdí metalizado y en dupión y unas delicadas flores de rayón color cobre, con hilos metalizados oro y chocolate, cubren el frente del bolso. Unas cuentas metalizadas y lentejuelas doradas, además de un botón de filigrana, completan la decoración. El bordado se realiza sobre raso, que luego se aplica sobre el frente del bolso durante el proceso de montado.

PUNTOS EMPLEADOS
- **Punto de telaraña**
- **Punto de margarita**
- **Punto de satén**
- **Bastilla**
- **Cadeneta suelta**
- **Punto de espinapez**

Materiales

40 × 20 cm de tela de raso negro, para el bordado

40 × 60 cm de tela de lana fina en naranja dorado, para el bolso

40 × 60 cm de entretela tejida, fuerte y gruesa, para el bolso

35 × 12 cm de terciopelo negro, para las asas

35 × 12 cm de entretela de coser mediana, para las asas

35 × 14 cm de tela de lana fina en naranja dorado, para la vista

35 × 14 cm de entretela de coser gruesa, para la vista

40 × 50 cm de tela de raso negro, para el forro

Hilo de bordar fino en algodón retorcido, marrón chocolate

Hilo de bordar metalizado en oro amarillo y en oro envejecido

Hilo de bordar de rayón brillante, cobre

60 × 10 cm de organdí de seda metalizado en plata vieja, cortado en tiras de unos 3 cm de ancho

60 × 10 cm de dupión de seda metalizado en oro viejo, cortado en tiras de unos 3 cm de ancho

60 × 10 cm de tela de viscosa metalizada oro brillante, cortada en tiras de unos 3 cm de ancho

Hilo de coser fuerte, negro

Selección de cuentas nacaradas marrón chocolate y oro viejo pálido

Selección de lentejuelas de distinto tamaño en tonos dorados

70 cm de lentejuelas doradas en tiras

Hilos de coser coordinados con las telas naranja dorado y terciopelo negro

Cierre magnético

Botón de filigrana antiguo

Equipo

Patrón 2 (ver página 136)

Tijeras para tela

Alfileres largos de modista

Lápiz blanco

Bastidor de bordar grande

Agujas de bordar de varios tamaños

Tijeras de bordar

Aguja de zurcir

Aguja de enfilar fina

Regla

Plancha

Máquina de coser

Resplandor del fuego

1 ► **Ampliar el Patrón 2** en la proporción indicada y recortar el panel frontal para hacer una plantilla. Prender la plantilla sobre la tela de raso negro y dibujar el contorno, dejando 2 cm de margen para las costuras y por si encoge la tela. Retirar la plantilla. Con el lápiz, dibujar suavemente el motivo, guiándose por la fotografía principal. Indicar las rosas y las margaritas con círculos. No hay necesidad de dibujar todas las ramitas y las hojas porque se pueden bordar después en los espacios vacíos; de ese modo el dibujo ganará frescura y espontaneidad. Colocar la tela en el bastidor (ver página 16). Con el hilo marrón chocolate, hacer los siete radios de las telarañas que forman la base de las rosas. No rellenarlas aún con tela porque es más fácil empezar por los bordados planos antes de hacer las rosas en relieve.

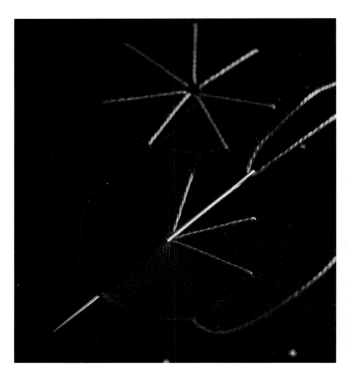

2 ▲ **Bordar las margaritas** a punto de margarita. Utilizar en algunas el hilo dorado brillante, y en el resto, el hilo oro viejo.

3 ▲ **Con el hilo color cobre,** bordar las flores a punto de satén, haciendo cuatro o cinco puntadas muy juntas por pétalo.

4 ▲ **Con el hilo marrón chocolate,** dibujar con una bastilla los tallos de las ramitas. Empezando en la punta de cada ramita, bordar hojas pequeñas con cadenetas sueltas a cada lado del tallo. Añadir más ramitas como ésta donde se crea necesario. Luego bordar las hojas grandes a punto de espinapez, haciendo un pequeño tallo con una bastilla donde haga falta.

6 ▼ **Con el hilo de coser fuerte,** coser una cuenta marrón chocolate en el centro de cada margarita. Coser una cuenta color oro viejo en el centro de las flores pequeñas color cobre. Coser lentejuelas envejecidas en los espacios libres, salpicándolas por el motivo donde más guste.

5 ▲ **Quitar los hilos sueltos** de los cantos de las tiras de tela metalizada. Enhebrar un extremo de la tira en la aguja de zurcir y rellenar una telaraña. Tensar bien la tira en cada vuelta, pasando por encima y por debajo de los radios, apretando la tira para que quede una forma de rosa en relieve. Repetir este paso con las distintas telas metálicas por turno, hasta tener hechas todas las rosas.

7 ◄ **Recortar el panel.** Planchar hacia el revés el margen de costura de arriba y de abajo. Cortar un frente del bolso en tela naranja e hilvanar sobre ella el panel, según el patrón. Colocar una tira de lentejuelas doradas por los bordes de arriba y de abajo del panel. Siguiendo el paso 5 de Flores silvestres (ver página 79), coser a máquina las lentejuelas en su sitio, cosiendo al mismo tiempo el panel bordado sobre el frente del bolso.

8 ► **Montar el bolso** siguiendo las instrucciones del Bolso mediano con pinzas y asas forradas (ver páginas 32-33), pero sustituyendo las asas por las dobladas de la página 30. Para terminar, coser el botón decorativo arriba en el centro del frente del bolso.

Negro y crema

PUNTOS EMPLEADOS
- **Bastilla**
- **Punto de espinapez**
- **Punto de satén**
- **Punto raso**

Este pequeño bolso excepcionalmente sofisticado es el accesorio perfecto para cualquier ocasión, ya se trate de un cóctel a la caída de la tarde, de un desayuno especial o de una comida formal. Está confeccionado en tejidos naturales —lino negro y seda cruda con textura— y presenta un diseño sencillo y elegante bordado en algodón blanco y crema que dan un aire nuevo a su clasicismo. El bolso se completa con un disco de nácar y un botón negro tallado en diamante.

Materiales
35 × 45 cm de tela de lino negro, para el bolso

35 × 50 cm de entretela tejida, fuerte y gruesa, para el bolso

30 × 32 cm de seda cruda color crudo, para la banda de la embocadura y la vista

35 × 12 cm de seda cruda color crudo, para las asas

35 × 12 cm de entretela de coser mediana, para las asas

30 × 16 cm de entretela de coser gruesa, para la vista

35 × 40 cm de tela de algodón cruda, para el forro

Hilo de algodón retorcido grueso en blanco y beige

Hilo de coser grueso en negro y crema

Cuentas pequeñas negras

Hilos de coser coordinados con el lino negro, el forro crema y la seda cruda

Cierre magnético

Disco de nácar con un agujero más pequeño que el botón

Botón con cuello negro, tallado en diamante

Equipo
Patrón 1 (ver página 135)

Tijeras para tela

Alfileres largos de modista

Lápiz blanco

Bastidor de bordar grande

Agujas de bordar de varios tamaños

Tijeras de bordar

Aguja de enfilar fina

Regla

Plancha

Máquina de coser

Negro y crema

1 ▼ **Ampliar el Patrón 1** en la proporción indicada y cortar la sección inferior por la línea discontinua para hacer una plantilla de papel. Prender la plantilla sobre el lino negro y dibujar el contorno, añadiendo 2 cm de margen para las costuras y por si encoge la tela. Retirar la plantilla. Con el lápiz blanco, dibujar suavemente el motivo, guiándose por la fotografía principal. Colocar la tela en el bastidor (ver página 16). Con el hilo blanco, dibujar todos los tallos con una bastilla. Luego bordar las hojas a punto de espinapez.

Fornituras

El adorno de disco y botón de este bolso constituye un elemento decorativo interesante. Buscar fornituras y cierres inusuales para los bolsos, incluidos broches y botones antiguos.

2 ▲ **Con el hilo beige,** bordar las flores a punto de satén. Empezar arriba de cada tallo, haciendo unos capullos sueltos con tres puntadas. Al bajar por el tallo, hacer capullos abiertos con tres pétalos, cada uno de tres puntadas. Hacer en cada capullo una base de cuatro o cinco puntos rasos con algodón blanco.

3 ▶ Bordar las flores abiertas a punto de satén, haciendo cinco pétalos de tres puntadas en cada una. Con el hilo de coser fuerte en negro, coser una cuenta en el centro de cada flor.

4 ▼ Retirar la tela del bastidor y montar el bolso siguiendo las instrucciones del Bolso pequeño con embocadura contrastada, pinzas y asas dobladas (ver páginas 28-31). Cuando esté terminado de montar, colocar el bolso boca arriba y situar el disco de nácar arriba, en el centro. Enhebrar una aguja con hilo de coser fuerte crema, hacer un nudo y afianzar la hebra en el centro del disco, donde vaya a ir el botón.

5 ▶ Coser el botón situándolo en el centro del disco. El disco podrá moverse, pero no se saldrá por fuera del botón.

Hojas y escarcha

PUNTOS EMPLEADOS
• **Cadeneta**

Este bolso se lleva colgado del hombro y su técnica es tan sencilla que tanto los principiantes como los más avanzados en el bordado lograrán un efecto espectacular con él. Eligiendo una tela con dibujo ya se tiene el motivo sobre el que bordar con los puntos que se desee. Me gusta el aire vintage de esta tela y he realzado el dibujo, de marcado grafismo, con una sencilla cadeneta y unas lentejuelas cóncavas.
Un enorme lazo de tejido de lana con pelo en camel, lo completa.

Materiales
(Respetar las medidas dadas a continuación, pero los colores dependen de la tela con dibujo y de la tela de contraste que se elijan).

55 × 60 cm de tela con dibujo, para el bolso

55 × 60 cm de entretela tejida, fuerte y gruesa, para el bolso

35 × 16 cm de tela de lana camel, para la embocadura contrastada

66 × 12 cm de tela con dibujo, para las asas

66 × 12 cm de entretela de coser mediana, para las asas

35 × 16 cm de tela de lana camel para la vista

35 × 32 cm de entretela de coser gruesa, para la vista

55 × 60 cm de tela de raso marrón chocolate, para el forro

40 × 30 cm de tela de lana camel, para el lazo

40 × 30 cm de entretela de coser mediana, para el lazo

10 × 6 cm de tela de lana camel, para el centro del lazo

10 × 6 cm de entretela de coser mediana, para el centro del lazo

Cordoncillo de rayón metalizado oro

Hilo de coser fuerte de color neutro

Lentejuelas pequeñas cóncavas en oro, sepia y azul pizarra

Hilo de bordar de rayón brillante en ocre dorado fuerte

Hilos de coser coordinados con la tela de dibujo, la lana camel y el forro marrón chocolate

Cierre magnético

Equipo
Patrón 6 (ver página 140)
Tijeras para tela
Alfileres largos de modista
Lápiz
Bastidor de bordar grande
Agujas de bordar de varios tamaños
Tijeras de bordar
Aguja de coser fina
Regla
Plancha
Máquina de coser

Hojas y escarcha

1 ▼ **Ampliar el Patrón 6** en la proporción indicada y cortar la sección principal del bolso para hacer una plantilla de papel. Prender la plantilla sobre la tela con dibujo y dibujar el contorno, añadiendo 2 cm de margen para costuras y por si encoge la tela. Tener cuidado al colocar la plantilla sobre la tela: yo quería que las hojas estuvieran en el centro y por eso me aseguré de que quedaran centradas debajo de la plantilla. Retirar la plantilla y colocar la tela en el bastidor (ver página 16). Con el cordoncillo de rayón metalizado, bordar el contorno de algunas hojas a cadeneta. Empezar en la base de la hoja hacia un lado y bordar todo alrededor de la hoja.

2 ▲ **Para añadir detalle** a las hojas, coser una línea de lentejuelas doradas en el centro, cosiéndolas como en el paso 7 de Lavanda suave (ver página 51), con el hilo de coser fuerte. He cosido las lentejuelas muy juntas en la base y luego cada vez más separadas al subir por la línea central. Decorar de este modo todas las hojas que tengan perfil dorado. El resto de las hojas se perfila con el hilo ocr dorado y se adorna con lentejuelas sepia.

3 ◄ **Otros elementos** de este dibujo se destacan con hileras de lentejuelas azul pizarra.

4 ► **Retirar la tela** del bastidor y montar el bolso siguiendo las instrucciones del Bolso con base y pliegues arriba (ver páginas 38-39). Cuando esté montado el bolso, empezar a hacer el lazo. Colocar la entretela sobre el revés de la tela y doblar la pieza, derecho con derecho a lo largo, casando los cantos. Prender las capas unidas.

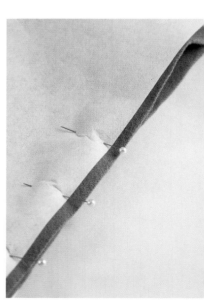

5 ▲ **Hacer una costura** a máquina sobre los bordes abiertos, dejando un margen de costura de 1 cm y una abertura en un extremo corto. Volver del derecho y planchar, doblando hacia dentro y planchando los márgenes de costura de la abertura.

6 ▲ **Hacer una costura** a máquina por encima, a 5 mm del borde del rectángulo, con hilo coordinado y cosiendo al mismo tiempo la abertura.

7 ▲ **Colocar la entretela** sobre el revés de la pieza central para el lazo. Doblar hacia el revés 1 cm de los bordes largos y prender. Hacer una costura por encima como antes, junto a los bordes.

8 ▲ **Prender un extremo** del centro del lazo al centro del dorso del lazo. Con las manos, hacer unos pliegues en el centro para darle forma de lazo.

9 ▲ **Enrollar el centro del lazo** sobre los pliegues de éste y darle unas puntadas por el revés para sujetarlo.

10 ▲ **Con puntadas pequeñas** a mano, coser el dorso del lazo sobre el centro de la embocadura en el frente del bolso.

Luces trémulas

PUNTOS EMPLEADOS
• **Cadeneta**

Este bolso, realizado con un lustroso raso turquesa, es una auténtica obra de arte. Se enriquece con grandes margaritas perfiladas con una cadeneta azul pizarra y realzadas con lentejuelas planas nacaradas. El dibujo incluye igualmente hojas en guirnaldas rellenas con pequeñas lentejuelas cóncavas en azul zafiro y azul marino y finas ramitas bordadas con seed beads diminutas en azul iris vivo y oliva dorado.

Materiales

40 × 30 cm de raso duquesa en turquesa, para el frente del bolso

40 × 10 cm de tela de algodón mediana en negro, para la embocadura

40 × 30 cm de tela de algodón mediana en negro, para el dorso del bolso

40 × 60 cm de entretela tejida, fuerte y gruesa, para el bolso

35 × 12 cm de satén verde oliva intenso, para las asas

35 × 12 cm de entretela de coser mediana, para las asas

35 × 12 cm de tela de algodón mediana en negro, para forrar las asas

35 × 14 cm de tela de algodón mediana, para la vista

35 × 14 cm de entretela de coser gruesa, para la vista

40 × 50 cm de raso verde oliva intenso, para el forro

Hilo de rayón fino en azul pizarra y azul pizarra apagado

Hilo de coser fuerte en azul (zafiro y marino) y en color neutro

Lentejuelas planas nacaradas, translúcidas

Lentejuelas cóncavas en azul zafiro y azul marino

Piedra de coser en talla diamante, verde esmeralda

Cuentas redondas en oro viejo

Canutillos en turquesa vivo

Seed beads en azul iris y en verde oliva

Hilos de coser coordinados con las telas turquesa, verde oliva y negro

Una tira de 75 cm de lentejuelas planas doradas

Cierre magnético

Equipo

Patrón 3 (ver página 137)

Tijeras para tela

Alfileres largos de modista

Lápiz

Bastidor de bordar grande

Aguja de bordar mediana

Tijeras de bordar

Aguja de enfilar

Regla

Plancha

Máquina de coser

Luces trémulas

2 ▼ **Rellenar los pétalos** con lentejuelas translúcidas, cosiéndolas como en el paso 7 de Lavanda suave (ver página 51), con el hilo de coser fuerte en color neutro. Empezar en la base del pétalo y trabajar alrededor del borde interno, terminando por rellenar el espacio central. Comprobar que las lentejuelas quedan bien juntas y que cubren todo el pétalo.

1 ▲ **Ampliar el Patrón 3** en la proporción indicada y recortarlo para hacer una plantilla de papel. Prender la plantilla sobre el raso turquesa y dibujar el contorno, añadiendo 2 cm de margen para costuras y por si encoge la tela. Retirar la plantilla. Con el lápiz, dibujar suavemente el motivo, guiándose por la fotografía principal. Colocar la tela en el bastidor (ver página 16). Con el hilo azul pizarra, bordar las margaritas, perfilando cada pétalo con una cadeneta. Bordar los tallos principales, las ramitas más pequeñas y perfilar las hojas grandes a cadeneta con el hilo azul pizarra apagado.

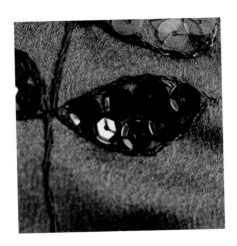

3 ◄ **Rellenar las hojas** con lentejuelas, utilizando el azul zafiro en unas y el azul marino en otras.

4 ► **Para terminar la flor grande,** coser la piedra en talla de diamante verde esmeralda en el centro. Siguiendo el paso 7 de Les roses (ver página 71), coser un anillo de cuentas doradas alrededor de la piedra, cosiéndolas de una en una.

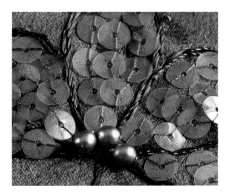

5 ▲ **Completar el resto** de las
flores cosiendo tres cuentas
doradas en la base de cada una.

6 ▶ **Empezando en la punta** de la
rama grande y con hilo fuerte,
coser los canutillos turquesa. Coser
cada par de canutillos ligeramente
inclinados, mirando hacia arriba, para
que las ramitas queden naturales.
Trabajar a lo largo del tallo hacia
abajo, dejando un pequeño espacio en
la base.

7 ◀ **Rellenar el resto de las ramas** con seed beads,
utilizando las verde oliva en algunas y las azul iris en
otras. Empezar arriba de la rama cosiendo unas hileras de
tres cuentas y añadiendo más cuentas en cada hilera
conforme se avanza hacia abajo.

8 **Retirar la tela** del bastidor. Cortar la pieza de algodón
negro de 40 x 10 cm en dos tiras de 40 x 5 cm. Poniendo
derecho con derecho, prender una de las tiras con la base del
bordado. Dejar un margen de 1 cm y coser las dos piezas.
Planchar la costura hacia la tela de algodón y hacer una
costura por encima. Doblar la parte superior del bordado
como indica el patrón. Prender los pliegues en su sitio,
comprobando que por el revés quedan mirando hacia el
centro del bolso. Prender derecho con derecho la otra tira de
algodón sobre el borde con pliegues. Coser, planchar y hacer
la costura por encima como antes. Siguiendo el paso 5 de
Flores silvestres (ver página 79), coser una tira de lentejuelas
sobre las costuras de arriba y de abajo del bordado. Montar
el bolso siguiendo las instrucciones de Bolso mediano con
pinzas y asas forradas (ver páginas 32-33).

Jardín de invierno

Esta tela de algodón combina texturas, colores y lanas e hilos con gran efecto, para lograr un accesorio realmente espectacular con el que animar el día más gris. La hebra de algodón color coral, el mohair lavanda claro, las fibras de chenilla verde oliva apagado y los algodones retorcidos en verde aguacate y pistacho combinan con las cuentas color cobre nacarado y marfil pálido para crear un bolso único. Las asas en magenta forradas en raso contrastado, completan el diseño.

PUNTOS EMPLEADOS
- **Punto de satén**
- **Punto raso**
- **Cadeneta suelta**
- **Bastilla**
- **Punto de ojal**
- **Punto de margarita**
- **Punto de espinapez**
- **Punto de rosa**

Materiales
40 × 60 cm de tela de lana gruesa en negro, para el bolso

40 × 60 cm de entretela tejida, fuerte y gruesa, para el bolso

35 × 12 cm de tela de lana magenta, para las asas

35 × 12 cm de entretela de coser mediana, para las asas

35 × 12 cm de raso oro viejo, para forrar las asas

35 × 14 cm de tela de lana gruesa en negro, para la vista

35 × 14 cm de entretela de coser gruesa, para la vista

40 × 50 cm de raso oro viejo, para forrar el bolso

Ovillo de cinta de algodón en coral vivo

Lana marfil y azul bebé

Hilo fino de algodón retorcido en verde aguacate y pistacho

Hilo de coser fuerte en negro

Cuentas de lágrima en perla marfil suave

Cuentas nacaradas cobre oscuro

Mohair grueso lavanda pálido

Chenilla en oliva apagado

Hilos de coser coordinados con las telas de lana negra y magenta y con el forro dorado

Cierre magenta

Equipo
Patrón 2 (ver página 136)

Tijeras para tela

Alfileres largos de modista

Lápiz blanco

Bastidor de bordar grande

Agujas de bordar de varios tamaños

Tijeras de bordar

Aguja de enfilar

Regla

Plancha

Máquina de coser

Jardín de invierno

1 ▶ **Ampliar el Patrón 2** en la proporción indicada y recortarlo para hacer una plantilla de papel. Prender la plantilla sobre la tela de lana negra y dibujar el contorno, añadiendo 2 cm de margen para las costuras y por si encoge la tela. Retirar la plantilla. Con el lápiz blanco, dibujar suavemente el motivo, guiándose por la fotografía principal. Colocar la tela en el bastidor (ver página 16). Con la cinta de algodón coral, bordar las flores grandes a punto de satén. Como son flores de gran tamaño, habrá que bordar primero el borde exterior de cada pétalo para dibujar su forma y luego rellenar el espacio restante con más puntos de satén. Para añadir detalle a las flores, dar tres puntos rasos con lana marfil en la base de cada pétalo, haciendo el punto central algo más largo.

2 ▲ **Con lana marfil,** bordar los pequeños capullos de las ramas con cadenetas sueltas. Empezando en la punta de cada rama y trabajando hacia abajo, bordar un pétalo para cada capullo pequeño y tres para las flores semi-abiertas.

3 ▲ **Terminar las ramitas** bordando los tallos con algodón aguacate y una bastilla. Añadir unas hojitas de cadenetas sueltas a cada lado de los capullos. Hacer cuatro o cinco puntos de ojal para la base de cada flor semi-abierta. Añadir más hojas donde se crea que hacen falta.

4 ◀ **Con lana azul bebé,** bordar las margaritas pequeñas a punto de margarita. Bordar sus hojas a punto de espinapez con el algodón aguacate. Coser una cuenta de perla en el centro de cada margarita, con hilo de coser fuerte.

5 ▼ **Coser una cuenta de perla** en el centro de cada flor grande. Siguiendo el paso 7 de Les roses (ver página 71), coser un anillo de cuentas color cobre alrededor de cada perla.

6 ◀ **Bordar las rosas** con mohair lavanda y a punto de rosa. Recordar poner la hebra doble para dar forma y volumen a las rosas, dando puntadas flojas. Con la chenilla oliva apagado, bordar las hojas grandes a punto de espinapez. Para añadir detalle a estas hojas, hacer en la base de cada una tres puntos rasos con lana marfil, haciendo el del centro algo más largo. Retirar la tela del bastidor y montar el bolso siguiendo las instrucciones del Bolso mediano con pinzas y asas forradas (ver páginas 32-33).

Cuentas

En mercerías y tiendas de manualidades se pueden adquirir cuentas de todas las formas y tamaños. Buscar cuentas inusuales que añadan interés y personalicen el bolso. Comprar esas cuentas cuando se vean para tenerlas listas para el bolso adecuado.

Patrones

En las páginas siguientes se encuentran los patrones para los distintos modelos de bolsos. Las instrucciones de montaje de las páginas 28-41 indican el patrón que se necesita para cada uno. En los patrones figura la proporción en que se deben ampliar y las medidas que permiten comprobar las dimensiones correctas de las plantillas de papel.

Las parejas de líneas en el borde superior de los patrones indican las posiciones de las asas, mientras las líneas discontinuas y de puntos señalan la ubicación de las bandas de embocadura contrastadas, de las vistas y de las pinzas cuando lo pida el modelo de bolso.

Proyectos que corresponden al Patrón 1
- Un lazo y un ramo (ver páginas 52-57)
- Negro y crema (ver páginas 118-121)

Proyectos que corresponden a los Patrones 2 y 3
- Rosa y vivo (ver páginas 58-61)
- Flores silvestres (ver páginas 76-79)
- Jardín fresco (ver páginas 80-85)
- Chic veraniego (ver páginas 86-89)
- Flores vintage (ver páginas 96-99)
- Resplandor del fuego (ver páginas 114-117)

- Luces trémulas (ver páginas 126-129)
- Jardín de invierno (ver páginas 130-133)

Proyectos que corresponden al Patrón 4
- Margaritas (ver páginas 92-95)
- Flores y botones (ver páginas 108-111)

Proyectos que corresponden al Patrón 5
- Primera flor (ver páginas 44-47)
- Flores del bosque (ver páginas 62-65)
- Les roses (ver páginas 68-71)

Proyectos que corresponden al Patrón 6
- Rojo pasión (ver páginas 72-75)
- Flores de otoño (ver páginas 100-103)
- Hojas y escarcha (ver páginas 122-125)

Proyectos que corresponden al Patrón 7
- Lavanda suave (ver páginas 48-51)
- Verde viña (ver páginas 104-107)

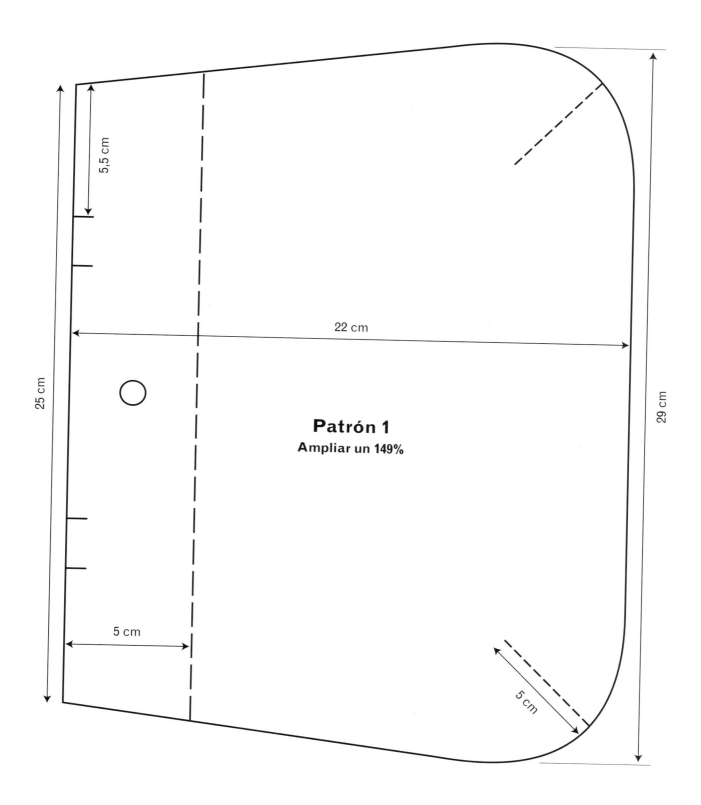

5,5 cm

22 cm

25 cm

29 cm

Patrón 1
Ampliar un 149%

5 cm

5 cm

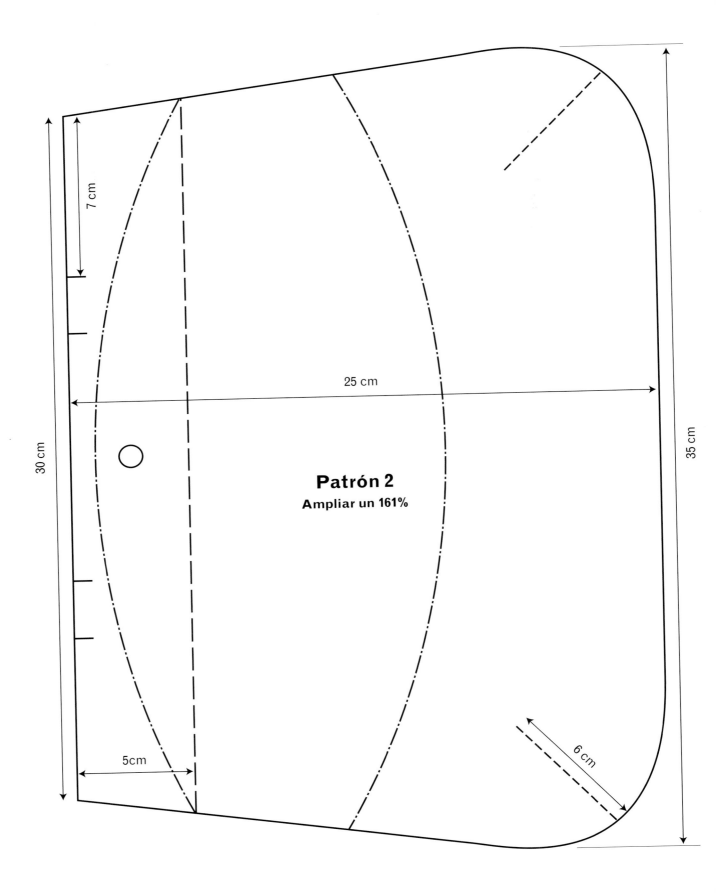

7 cm

25 cm

30 cm

35 cm

Patrón 2
Ampliar un 161%

5cm

6 cm

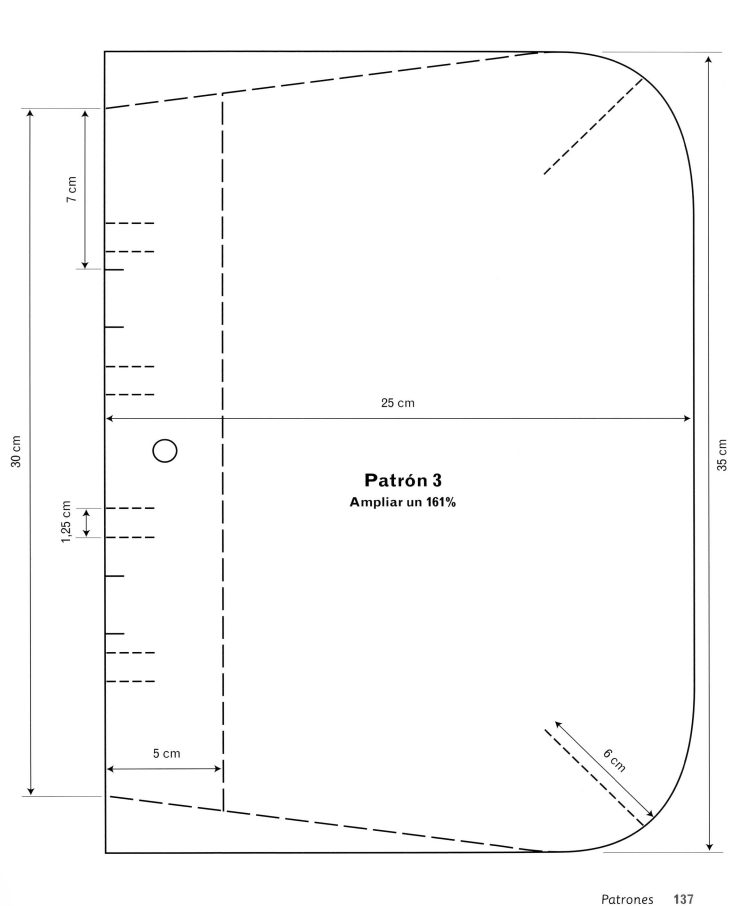

7 cm

30 cm

25 cm

35 cm

Patrón 3
Ampliar un 161%

1,25 cm

5 cm

6 cm

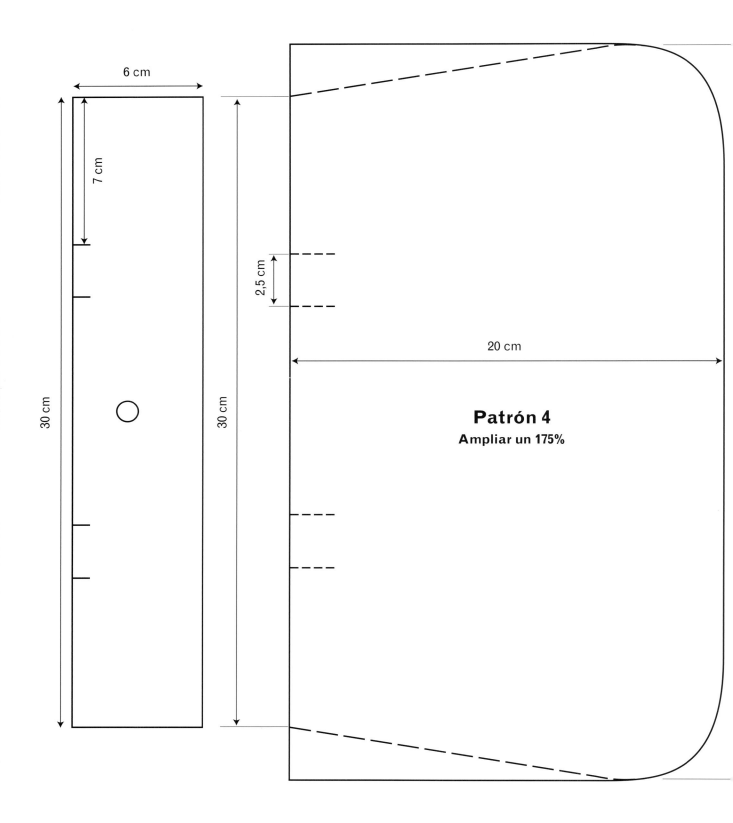

6 cm

7 cm

30 cm

30 cm

2,5 cm

20 cm

Patrón 4
Ampliar un 175%

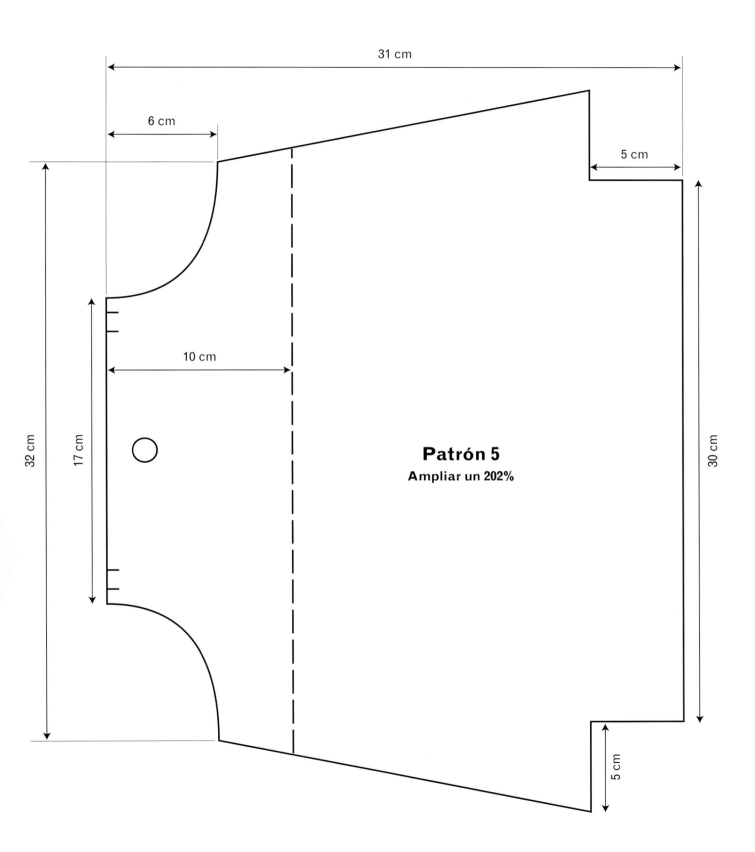

Patrón 5
Ampliar un 202%

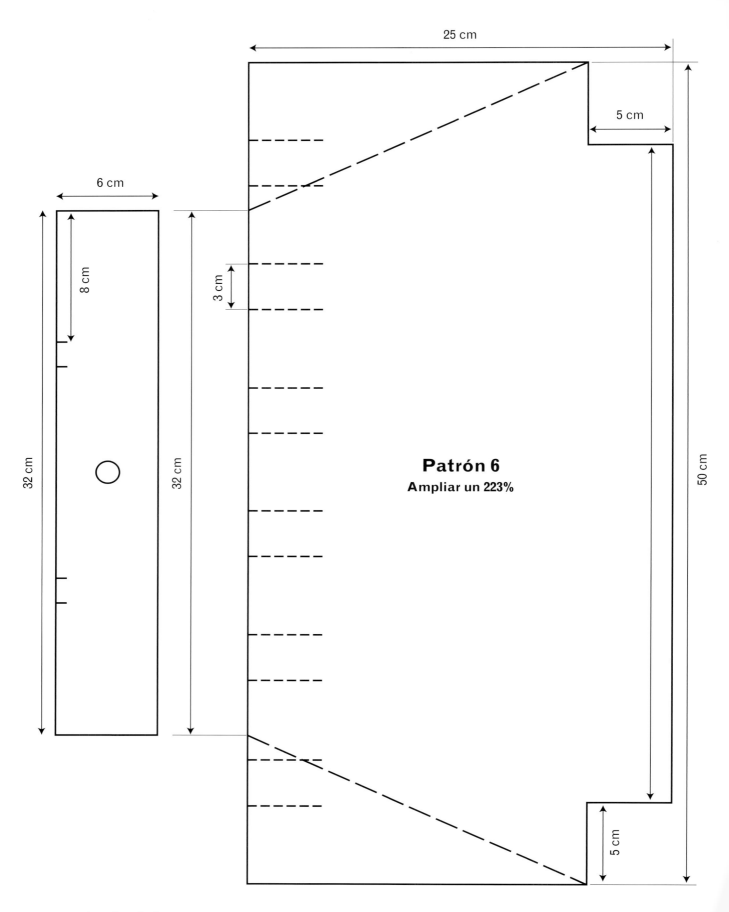

Patrón 6
Ampliar un 223%

25 cm

5 cm

50 cm

6 cm

8 cm

3 cm

32 cm

32 cm

5 cm

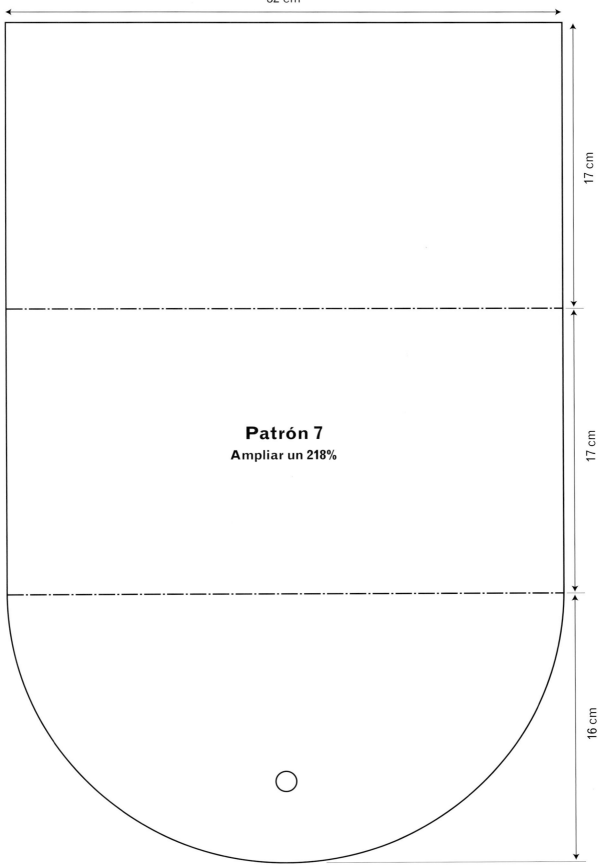

Patrón 7

Ampliar un 218%

32 cm

17 cm

17 cm

16 cm

OTROS TÍTULOS PUBLICADOS

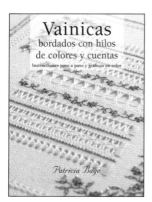

Más información sobre éstos y otros títulos
en nuestra página web: **www.editorialeldrac.com**

La autora

Susan Cariello diseña colecciones en edición
limitada de bolsos y accesorios bordados y
decorados a mano. Se graduó en el Central Saint
Martins College de Arte y Diseño de Londres y ha
trabajado en Nueva York y Londres como diseñadora
de tejidos y de bordados. La dirección de su página
web: **www.susancariello.co.uk**

Índice alfabético

Agradecimientos

Muchas gracias a Jane Birch por fijarse en mí y en mis bolsos en la feria The Country Living Fair, de Londres.

Muchas gracias a Kate Haxell por trabajar conmigo en este mi primer libro, y por su apoyo, sus consejos y sus ánimos.

Muchas gracias a Sussie Bell por sus fantásticas fotografías de todos mis bolsos bordados.

Muchas gracias a Kate Simunek por las preciosas ilustraciones y a Lisa Tai por su encantador diseño de las páginas.

También muchas gracias a Janet Ravenscroft y a todo el personal de Breslich & Foss por su ayuda, sus consejos y por el entusiasmo demostrado hacia mí y mis bolsos, ¡sin los cuales nada de esto habría sido posible!